Maquette de la couverture:
Gilles Cyr, le Graphicien inc.

LES ÉDITIONS QUEBECOR
Une division de Groupe Quebecor Inc.
225, rue Roy est
Montréal, H2W 2N6
Tél.: (514) 282-9600

Composition et mise en pages:
Helvetigraf Enr.

JEROME LEMAY

EDITIONS

Quebecor

QUAND ON SERA SOUS TERRE...
IL VA RESTER RIEN DE CE QU'ON AURA
RAMASSÉ.
QUAND ON SERA SOUS TERRE...
IL VA NOUS RESTER CE QU'ON A DONNÉ.

Jérôme Lemay, extrait d'une chanson
composée en septembre 1982.

INTRODUCTION

Les Jérolas.... ce mot... ce nom... en fait encore rêver plusieurs. Moi, en tout cas, il me fait encore rêver. Après tout, mon association avec Jean Lapointe a duré dix-neuf ans. Et je puis dire, sans avoir l'air vaniteux, que les Jérolas ont écrit une page importante de l'histoire du show business au Québec.

Durant toutes ces années, il y a eu des bons et des mauvais moments, c'est certain. Mais, à dessein, je ne veux me rappeler que les bons moments, les moments qui ont fait que des foules records se déplaçaient pour venir nous entendre. Le reste? Ça s'oublie avec les années, et l'important ça a été une devise bien connue: «*The show must go on!*» Jean Lapointe et moi avons vécu des aventures loufoques, émouvantes, tristes et drôles.

C'est un peu tout cela que je veux consigner dans ce bouquin. Nous avons été ce que l'on pourrait appeler aujourd'hui «un drôle de couple» avec ses problèmes, ses difficultés et ses bons moments. Ceux qui s'attendent à un genre de règlement de comptes de ma part seront probablement déçus. Je n'éprouve aucune hargne, aucune haine et je veux tout simplement être le plus honnête possible et fidèle à la réalité en rappelant ces années qui m'ont marqué plus que le public québécois... ou est-ce le contraire? En tout cas, ce furent des années folles, délirantes et inoubliables, car se sentir aimé du public à ce point, c'est une sensation incroyable.... qui ne s'oublie pas.

CHAPITRE 1

FILS DE PIONNIER EN ABITIBI

À quel moment tout ceci a-t-il commencé? Probablement le jour de ma naissance. Je suis né le 22 août 1933, dans le lointain Témiscamingue, à Béarn pour être plus exact. J'étais le dixième d'une famille de onze enfants, «tous vivants» selon l'expression consacrée. J'ai eu une enfance heureuse et, pourtant, la vie était dure. La vie de «colon» est loin d'être facile. Mes parents avaient sans doute été influencés par les paroles prononcées du haut de la chaire, par le curé de la paroisse Sainte-Émilie, près de Québec. «*Le Témiscamingue, c'est loin, mais c'est la terre de l'avenir, un coin des plus prometteurs de la province de Québec. C'est avec des cultivateurs courageux et remplis d'ambition qu'il faut aller le bâtir...*»

Et c'est ainsi que mes parents sont partis pour le Nord-Ouest avec les enfants, quelques meubles, les vaches, les cochons, les poules et tout le bazar. Je pense que dans le train ils ont eu plus peur que les vaches. Ça se passait en 1930 et je devais voir le jour trois années plus tard. Quelle atmosphère d'amour régnait dans notre maison! Ma mère travaillait dur, elle «trimait» pour que nous ne manquions de rien. Et dire que, jeune fille, on lui avait refusé la permission d'entrer au couvent pour y devenir religieuse. La raison? Elle n'avait pas la santé voulue. Pourtant, elle a élevé onze enfants, a travaillé aussi fort qu'un homme et est morte à l'âge de quatre-vingt-quatre ans. Je me rappelle surtout que tous les soirs, au chapelet en famille, elle demandait la protection divine pour ses enfants. Chère maman, va, je pense toujours à toi avec émotion.

Comme je l'ai dit, nous n'étions pas riches. Ainsi, chaque fois qu'un des garçons quittait l'école, il lui fallait «gagner» pour aider le reste de la famille. En 1933, mon père gagnant 4 $ par semaine et j'ai l'impression d'exagérer quand je dis que beaucoup de nos voisins étaient plus pauvres que nous. Dans de telles conditions, rien ne laissait entrevoir qu'un jour je me lancerais dans le show business. Et pourtant... je me rappelle un incident.

J'avais quatre ans et c'était la nuit de Noël. Nous marchions dans la belle neige blanche toute scintillante. C'était une superbe nuit d'hiver, froide, et les étoiles brillaient d'un feu inaccoutumé dans le ciel. Je tenais mes grandes sœurs par la main et je tâchais de faire de grands pas. Puis, ce fut l'église, la crèche... et on me dit que j'ai chanté, en harmonie, avec mes sœurs à la messe de minuit, ce soir-là. Ma passion pour le chant remonte loin.

Il faut dire que, chez nous, la musique faisait partie intégrante de la vie. D'une certaine façon, j'ai la nostalgie de ce temps-là. Il n'était pas question de nous asseoir comme des abrutis devant un appareil de télévision et de ne pas dire un mot. Dès que les membres de la famille se réunissaient, on sortait les guitares, les violons, quelqu'un s'installait au piano et, en avant la musique, les «reels», les chansons à répondre, etc. C'était merveilleux. Il y avait de la chaleur humaine. Avec le temps la famille s'est dispersée et ce n'est qu'en 1952 que nous avons pu tous nous réunir à nouveau.

Souvent alors, les voisins se joignaient à nous et c'était encore mieux. Aujourd'hui, les voisins ne tolèrent plus le moindre bruit et ils alertent la police.

Dès l'âge de six ans, j'ai dû, à mon tour, prendre le chemin des écoliers. L'école se trouvait dans le rang Guérin, et heureusement qu'il ne faisait pas trop froid en septembre, car mon père n'avait pas encore assez d'argent pour m'acheter des bottes. J'y allais donc nu-pieds ce qui, cependant, ne provoquait aucun commentaire car je n'étais pas le seul. Nous étions tous logés à la même enseigne. Je n'oublierai jamais ma toute première maîtresse d'école. Elle s'appelait Alice et elle avait une patience d'ange, tout en étant très ferme. Par la suite, elle a épousé mon frère Clément et ils vivent maintenant en Floride. Mais, à l'époque, elle «chambrait» chez nous.

Dans les familles qu'on dit «nombreuses», les plus jeunes sont toujours un peu les victimes des «tours» des plus âgés et je n'ai pas fait exception. Mon père avait installé un bureau au fond du passage du deuxième étage afin qu'Alice puisse y travailler. Et savez-vous ce qu'ont fait mes charmants grands frères? Un soir, pour rigoler, ils m'ont déshabillé de force, ils m'ont poussé dans le couloir et laissé là, tout nu comme un ver devant mon institutrice. J'ai pensé mourir de honte, j'étais rouge comme une tomate, j'aurais voulu ramper en dessous du tapis... s'il y en avait eu un. Mais Alice était diplomate et elle a fait semblant de ne rien voir pendant que, recroquevillé sur moi-même, je martelais la porte de notre chambre comme un véritable forcené.

Évidemment, nous avions tous des surnoms. Ainsi, Clément avait été baptisé Clémotte, Jacqueline, «la Fouine» et moi, tenez-vous bien... on m'avait baptisé «Jofesse» ce qui avait le don de m'enrager. Aujourd'hui, ça me gêne même de l'écrire. Mais tout cela était fait sans malice, et une solide amitié nous liait tous et elle existe encore.

À l'école, tout se passait sans histoire. J'étais un assez bon étudiant, je m'appliquais. En troisième année, c'est ma sœur Giselle qui était mon institutrice. Mais j'avais beau travailler, étudier, soigner mes devoirs, je n'arrivais jamais à être le premier de ma classe. Et ce n'est que beaucoup plus tard que j'ai su pourquoi. Ma mère m'a finalement avoué que j'étais l'innocente victime d'une «intrigue», si j'ose employer un mot aussi fort. Elle m'a dit: «Écoute, Jérôme, tu étais toujours le premier car tes notes étaient excellentes. Mais ta sœur avait peur que tu te penses trop bon et que tu ne te forces pas assez, c'est pourquoi elle ne te donnait jamais le maximum de points. Et elle craignait également d'avoir l'air de favoriser son petit frère.» Parlez-moi de l'esprit de famille...

Il y a des événements qui marquent dans la vie d'un jeune. Ainsi, je me rappelle clairement le jour où mon frère Jean-Claude est arrivé à la maison avec une guitare qu'il avait payée 12 $. Je devais avoir neuf ans à l'époque. J'étais tout simplement fasciné par cet instrument de forme si bizarre, percé d'un trou en son centre, d'où sortaient des sons. Oui, je l'avoue, j'étais pas mal naïf. Voyant mon intérêt pour l'instrument, Jean-Claude me dit:

— Tu peux jouer de la guitare si tu veux, mais seulement quand je suis là pour te surveiller. J'ai trop peur que tu la brises.

J'ai dit oui, mais c'était plus fort que moi. Aussitôt qu'il avait le dos tourné, j'accrochais cette merveilleuse invention à mon cou et je grattais les cordes, écoutant avec bonheur les sons discordants que j'en tirais. Et ce qui devait arriver, est arrivé. Un jour... clac... une corde s'est brisée. J'étais atterré, au désespoir. Sûrement que Jean-Claude allait me «chicaner». Mais ma sœur Édith, voyant mon désarroi, a bien voulu s'impliquer. Au moment où Jean-Claude s'est aperçu qu'il ne restait que cinq cordes à son instrument favori, elle est entrée dans le salon en disant:

— Imagine-toi, quel malheur! J'ai voulu essayer ta guitare, mais je joue tellement mal qu'une corde s'est révoltée et puis elle m'a 'pété' dans les mains.

Il me semble encore entendre Jean-Claude éclater de rire tout en répliquant:

— Ouais... bon... si tu le dis. Ça me fait penser... ça fait longtemps que je n'ai pas entendu jouer le petit Jérôme. Je vais remplacer la corde et toi, petit, tu vas me montrer où tu en es rendu.

Alors là, je puis vous dire que j'ai su, pour la première fois de ma vie, ce que c'était que d'avoir le trac. Je suppose que j'ai joué assez bien, compte tenu de mon jeune âge et de mon manque de pratique, car, après m'avoir écouté avec attention, Jean-Claude m'a dit:

— Sais-tu, tu joues pas pire. Tu l'aimes cette guitare-là?

— Ben certain que je l'aime, que je lui ai répondu en me demandant bien où il voulait en venir.

— Je te la donne. Moi, je vais m'en acheter une autre. Comme ça on pourra pratiquer ensemble.

J'étais au comble du bonheur et ce cadeau me semblait princier. Alors j'ai pratiqué, j'ai pratiqué au point d'en négliger mes autres activités. En fait, à l'âge de onze ans je faisais partie de l'orchestre Lemay. Mon frère Fabien jouait du violon, Marcel de la mandoline, Jean-Claude et moi de la guitare. Pour mieux compléter le mariage des sons, je grattais également le banjo. Et c'est ainsi que j'ai fait mes modestes débuts dans le show business puisque nous étions engagés pour des mariages, des soirées de danse et même pour la parade de la Saint-Jean-Baptiste. J'avais également commencé à chanter et, à l'école, on me demandait souvent d'y aller d'un petit tour de chant, ce que je faisais toujours avec beaucoup de plaisir.

Quelle époque heureuse et sans problèmes! Je me vois encore attelant mon chien à un traîneau. Et ma guitare, ma chère guitare sur les genoux, je franchissais des milles et des milles dans la neige pour aller chanter dans des écoles éloignées. Je me serais contenté des applaudissements, mais il y avait toujours de braves gens qui me donnaient un pourboire. À l'époque, les chansons du Soldat Lebrun et de Tino Rossi étaient fort en vogue. Certaines chansons américaines également, dont: *I am looking over a four-leaf clover*. Déjà, j'adorais avoir un public, me faire applaudir. C'était devenu un besoin pour moi.

Ceux qui ont vécu à cette époque, nous sommes en 1945, savent que les dimanches étaient sacrés. Tout le monde s'endimanchait et nous allions tous à la messe. La cérémonie commençait à 9 heures du matin pour se terminer vers midi. La longueur du sermon dépendait de l'humeur du curé ce jour-là. Parfois il y avait de longues pauses... pauses qui nous permettaient d'entendre quelques ronflements sonores.

Mon père, lui, chantait les psaumes dans le jubé en compagnie de quelques autres ténors qui faussaient pas mal, hélas! Puis, la messe terminée, tout le monde se rencontrait sur le perron de l'église.

Ces rencontres étaient importantes. On discutait du prix des bêtes et des légumes, du dernier né chez Untel, des problèmes financiers d'un autre, bref, toutes les nouvelles du village y passaient pendant que les femmes examinaient d'un air jaloux le nouveau chapeau de leur voisine. Il y en avait du commérage, je vous l'assure; tous les scandales du village y passaient. De plus, il y avait un crieur public qui y allait de toute sa verve, annonçant qu'il y avait encan ici ou là, tel jour, dans tel rang. Avec des rencontres comme celles-là, pas besoin de lire les journaux. En fait, c'était beaucoup mieux ainsi, car nous y apprenions des choses que pas un journal n'aurait osé publier. Après, c'était l'inévitable partie de «pool», une liqueur douce (crème soda ou orangeade), et nous rentrions tous à la maison pour enlever nos vêtements neufs qu'il ne fallait pas user ni salir.

Les voyages au village n'étaient pas une sinécure avec une aussi grosse famille. Tout le monde embarquait dans la «boîte» du camion de papa. Je pense que les prières de ma mère, qui implorait la protection divine pour nous, ont souvent été exaucées. Ainsi, par un beau dimanche après-midi, mon père, au volant de son camion, prend l'élan nécessaire pour monter une grosse côte de sable. Il perd le contrôle de son véhicule et nous voilà tous dans le fossé. Incroyable mais vrai, il n'y a pas eu une seule égratignure. Nous nous en sommes tirés avec une bonne peur. Il se passait toujours quelque chose avec une marmaille aussi bruyante que la nôtre. Moi-même, j'ai failli me noyer trois fois.

Ah!... ces dimanches.... Si la messe était quelque peu longue et «ennuyante», les soirées, en revanche, étaient fort intéressantes. Il y avait toujours un «party» quelque part au bout du rang, et c'était quelque chose à voir. Les gens de la ville ne peuvent s'imaginer comment ça se passait. Vers le milieu de l'après-midi, les hommes commençaient à se «réchauffer» avec du vin bon marché qu'ils appelaient le «gouf». Non seulement cette boisson peut soûler mais, ingurgitée en grandes quantités, elle rend fou. Vers les 9 heures du soir, ça commençait à danser des rigodons, des «sets» carrés et le «fun pognait». Mes frères aînés, qui faisaient les frais de la musique dans ces soirées, m'emmenaient pour que je les remplace quand ils voulaient danser avec des filles. Moi, je ne demandais pas mieux, mais ma mère s'inquiétait:

— À 12 ans, il est bien trop jeune pour aller traîner dans des veillées...

— Vous inquiétez donc pas, la mère, on va faire attention à notre petit frère.

Je dois dire que tout cela faisait bien mon affaire. Et savez-vous ce que j'aimais le plus? C'est quand les filles me prenaient sur leurs genoux et me caressaient comme on caresse un enfant. Elles disaient:

— Ce n'est pas encore un homme, on peut bien se permettre cela.

Ça me procurait des sensations qui me faisaient penser que j'étais peut-être plus homme qu'elles ne le croyaient, mais je me serais bien gardé de le leur dire.

À travers tout cela, les hommes buvaient, mais les femmes se tenaient à leur place. Comme on disait: «Une femme ça ne boit pas et ça ne fume pas.» Il y avait, par contre, une règle. On ne buvait pas dans la maison. Ça fait que les hommes, en sueur après avoir dansé, allaient dehors, en chemise sur le porche, pour se «poncer» et ce, même en plein hiver. En fait, c'est ainsi que Florien Rivard a attrapé une pneumonie et qu'il en est mort à 30 ans. En y pensant bien, je me demande encore comment il se fait qu'il n'y ait que lui qui n'a pas tenu le coup, car nous aurions dû tous y passer.

Je dis «nous» parce que, même assez jeune, il m'est arrivé de boire du «gouf». Quand je commençais à m'endormir, les grands m'en donnaient un peu pour me donner du «pep». Et moi, pour avoir l'air d'un homme, j'en buvais le plus possible, m'efforçant de ne pas trop grimacer, car ce n'était pas buvable.

On aurait dit qu'il y avait comme un plan établi d'avance pour les soirées. Après les «sets» carrés, c'était invariable, la bataille commençait. Ça venait toujours des mêmes: les Beaupré contre les Perron! Ça bardait dans la place, les chaises r'volaient, c'est moi qui vous le dis. Les gars d'Abitibi, ça cognait dur et, à la fin, les femmes ramassaient leurs maris pas mal amochés, chemises et vestons déchirés et pleins de sang. Mais le lendemain, tout le monde était redevenu «chum». Évidemment, les hommes ne se rappelaient plus de rien.

Ah! ces soirées... Je me souviens, j'avais fait venir des bouteilles de parfum et si je réussissais à les vendre toutes je pourrais me mériter une belle montre-bracelet. J'en ai vendu pas mal de ce parfum. C'est que, vers la fin de la soirée, s'il n'y avait plus de «gouf», les gars m'achetaient du parfum qu'ils buvaient. Mais je dois dire que mes frères n'ont jamais été aussi loin, même s'il leur est arrivé de fêter un peu «fort».

Quand nous sommes arrivés à Rouyn-Sud, un peu plus tard, nous avons trouvé que les soirées étaient pas mal moins mouvementées. En fait, mon père et ma mère, qui n'ont jamais bu ou fumé de leur vie, organisaient des soirées Lacordaire dans le sous-sol de l'église. Moi et mes frères nous y allions pour chanter et faire de la musique.

Par la suite, à l'âge de quatorze ou quinze ans, je me suis inscrit au collège régional dans le but d'y faire mon cours classique. Mais la vie allait en décider autrement, je ne ferais pas ce cours dont mes parents avaient rêvé pour moi. À la pensée de faire de longues et arides études, je me regimbais intérieurement. Et puis, le fait d'avoir déjà mis les pieds sur une scène, c'était comme une drogue et tous les prétextes ont été bons pour que je ne me présente même pas à l'ouverture des classes. Mon principal argument était que mes parents avaient besoin d'aide financière et c'était vrai. Mais l'un de mes frères avait offert de payer pour mes études. Dans le fond, même si je ne le savais pas moi-même, j'avais déjà envie de faire du show business. Mais ça ne s'envisageait même pas dans mon patelin. De toute façon, il me fallait faire de l'argent.

CHAPITRE 2

MES DÉBUTS DANS LE SHOW BUSINESS

J'avais seize ans et je me cherchais du travail. À l'époque, il n'y avait pas d'agences de placement. En fait, la façon courante de dénicher un emploi, c'était de déambuler dans les rues et de vérifier les vitrines. Quand on avait besoin de quelqu'un, il y avait une pancarte qui disait: «homme demandé».

Et c'est ainsi qu'un de ces après-midi je vois une pancarte au cinéma Paramount. Je me présente et me fais embaucher comme placier. Il faisait noir comme dans un four et, avec ma lampe de poche, j'éclairais les allées. Les jeunes aimaient beaucoup le cinéma, dans le temps. Avec une obscurité pareille, on pouvait bécoter tout à son aise. C'était le début des grandes comédies musicales en couleur. Je me souviens encore de Rita Hayworth... qu'elle était donc belle! Un film qui avait connu un grand succès, c'était le tout premier film français en couleur avec André Dassary, et la chanson «Ramuncho» était fort populaire. Les «trailers» en noir et blanc de *Superman* étaient également appréciés.

Tout en faisant ce travail, je me suis fait copain avec l'opérateur du cinéma et, en cachette, j'ai appris le métier. Moins d'un an plus tard, j'étais opérateur. Mais, à dix-sept ans, passer ses journées enfermé dans une cabine, avec la fumée de carbone, ce n'était pas trop bon pour les poumons. Et dire que j'avais refusé de travailler dans les mines, précisément pour ne pas m'abîmer les poumons. Mon frère aîné, d'ailleurs, qui avait travaillé dans les mines de cuivre, avait dû se faire enlever un poumon par la suite.

Ma mère s'inquiétait:

— Regarde-toi donc, tu es maigre, tu es pâle, tu ne manges presque pas.

J'ai donc décidé de trouver autre chose et je me suis engagé comme camionneur pour une boulangerie. Dans le temps, ce n'était pas compliqué comme aujourd'hui. On ne te demandait même pas si tu avais ton permis. Et puis, j'avais appris à conduire quand j'étais jeune, à onze ans pour être exact. Je me rappelle, à quatorze ans, j'avais déménagé une famille sur une distance de 100 milles avec le camion de mon père. Mais mon nouveau travail était réellement très dur. Je commençais à 5 heures du matin pour terminer à 6 ou 7 heures du soir. Entre-temps, mon frère Fabien me cherchait du travail, quelque chose de moins fatigant. Je ne demandais pas la sécurité d'emploi, comme on le fait aujourd'hui. D'ailleurs, ça n'existait pas. Mais un «bon boss pis un job steady», ça aurait bien fait mon affaire.

Et, croyez-le ou non, Fabien m'a déniché l'emploi idéal à la Northern Quebec Power, de Noranda, comme releveur de compteurs. C'était avant la nationalisation de l'Hydro. Là, réellement, j'avais frappé le «jack pot» comme on dit. Je travaillais en équipe avec Mickey Armstrong et nous «lisions» les compteurs pendant deux ou trois heures par jour. Le reste du temps, nous jasions et, évidemment, j'avais ma guitare, ma chère guitare avec moi.

Je me vois encore, la voiture bien stationnée devant la porte du bureau, pratiquant et étudiant un cours par correspondance que j'avais fait venir de New York. Et, le soir, je jouais et je chantais dans les hôtels de la place. C'est drôle, à ce moment-là je n'avais pas de projets d'avenir très précis, mais je me rappelle qu'un matin j'avais eu comme un «flash». Je m'étais dit: «Jérôme, il n'y a aucun doute, tu seras une vedette, le show business, c'est ta voie, c'est ton avenir et tu vas réussir dans cette ligne-là.» Ça ne faisait aucun doute dans mon esprit.

C'est amusant d'ailleurs de voir comment tout cela avait commencé. Un soir, mes frères jouaient à l'hôtel et j'avais «embarqué» avec eux, juste pour le «fun». Je n'avais que seize ans mais, déjà, je me débrouillais pas mal du tout avec une guitare.

Après le show, le patron de l'hôtel m'a demandé si je voulais me joindre au groupe. Il tenait tellement à m'avoir qu'il est venu me voir à la maison. Il faut dire que nous n'avions pas le téléphone dans le temps. Mais ma mère n'était pas d'accord:

— Ça n'a pas de bon sens, tu es trop jeune. Penses-y, les filles, la boisson....

Mais le proprio de l'hôtel était à peine parti que ma mère a bien vu que ça me faisait mal au cœur. Remarquez que j'aurais bien pu y aller, mais je ne voulais pas lui faire de la peine. Elle m'observait puis elle m'a dit:

— Ça te tente pas mal, hein?

— Oh oui, j'aimerais bien cela.

— Bon ben écoute, si tu promets de rentrer immédiatement après les spectacles, je suis d'accord!

J'étais tellement excité que j'ai couru jusqu'au village pour annoncer la bonne nouvelle au propriétaire de l'hôtel en question. Et je dois dire que j'ai tenu parole. Après les spectacles, je rentrais immédiatement à la maison. Plus tard, dans la vie, une fois marié, j'ai fait pareil et c'est probablement pour cela que ça va bien avec ma femme et que l'harmonie règne au foyer conjugal.

Toujours est-il que je me produisais dans les hôtels mais, dans le bout de Rouyn, c'était parfois assez mouvementé. Je me rappelle, un soir, deux «garçons étaient assis devant moi, en train de jaser calmement. Tout à coup, ils se lèvent et s'en vont à l'extérieur où ils se sont battus. Et ils n'y allaient pas de main morte, je vous le jure. En fait, ça «swingnait» pas mal là-dedans et j'ai souvent vu des femmes se battre également. Je ne dirais pas qu'il y avait de la violence dans l'air, mais c'était des défis, la force musculaire était importante.

Avec ma «job» de jour et les hôtels le soir, je me faisais des bonnes payes et j'ai décidé de m'acheter une voiture, une belle *Mercury* 1954 que j'avais payée 3 000 $. Les filles me regardaient pas pour rire, mais moi j'étais trop gêné ou niaiseux... à part quelques «blondes», j'étais pas mal tranquille. Il faut dire aussi qu'à travailler de jour, et le soir, il ne me restait pas beaucoup de temps et d'énergie. Mais ce problème s'est réglé assez vite... malheureusement pour moi.

Mes patrons commençaient à en avoir assez de me voir avachi dans la voiture, en face du bureau, à jouer de la guitare. Et je pense que leur orgueil en a pris un coup quand ils m'ont aperçu au volant d'une voiture plus belle que la leur.

Mais ils ne voulaient pas me congédier car je faisais tout de même bien mon travail. Ils m'ont plutôt fait transférer de Noranda à Rouyn. Finie la belle vie! Là, j'ai été obligé de travailler plus fort pour gagner ma paye.

Ce que j'ai pu en lire des compteurs, à Rouyn, sous la pluie battante. Simultanément, j'avais réussi à avoir mon émission à CKRN sur le réseau de Radio-Nord. Lise Payette y avait travaillé quelque temps avant que j'y fasse mon entrée. À ce moment-là, Pierre Chouinard, le demi-frère de Jacques Normand, y travaillait, ainsi que Jean Perreault, de Radio-Canada. Maurice Dubois était le gérant du poste et c'est lui qui m'a fait passer ma toute première audition là-bas.

C'est drôle de voir comment un destin se dessine. Si je regarde tout cela avec le recul, je ne puis dire que je tenais absolument à faire du spectacle. Bien sûr, j'amais cela mais, de nature, je n'étais pas bohème, j'aimais la sécurité et la tranquillité et j'avais plutôt tendance à mener une vie rangée et sécurisante. Mais, le destin en avait décidé autrement.

J'aimais beaucoup chanter et, à l'époque, je faisais pas mal «crooner» comme style. J'achetais les chansons du «hit parade», mais il n'y avait pratiquement que des chansons américaines. Je chantais du Bing Crosby, du Perry Como, etc. Il n'y avait presque pas de chansons québécoises, à part quelques-unes de Lucille Dumont et *À qui le p'tit cœur après 9 heures* de Roger Miron.

Je continuais à chanter dans les hôtels et je commençais à être assez connu dans la région. Mes grands succès de l'époque étaient *Mexico* et *Une chanson douce* d'Henri Salvador. Félix Leclerc commençait à se faire connaître et j'écoutais avec ravissement Jean-Maurice Bailly et Roger Garand dans leur émission *Les Carabiniers du Mont-Royal*. Je trouvais Garand formidable dans ses imitations.

Mais je ne pouvais indéfiniment continuer à travailler comme releveur de compteurs, faire de la radio et travailler dans les hôtels le soir. C'est à ce moment que j'ai reçu une offre qui a changé toute ma vie et m'a catapulté de façon définitive dans le show business.

Un de mes amis m'a dit que le propriétaire d'un hôtel de Senneterre (municipalité sise à environ 100 milles de Rouyn) voulait m'engager. Ça signifiait qu'il me fallait laisser tomber mon emploi régulier si j'acceptais ce contrat. Ça me tentait... mais j'hésitais. Pour moi, devenir musicien à plein temps c'était m'embarquer dans un mode de vie que j'acceptais plus ou moins.

J'avais entendu dire que les musiciens ça ne pensait qu'à boire et à courir les filles. Par la suite, je me suis aperçu que, là comme ailleurs, il y a des hommes responsables et d'autres qui sont plus bohèmes.

La décision n'était pas facile à prendre. Au moment où j'avais reçu cette offre, j'étais au travail. Je me rappelle, j'avais regardé mon compagnon-releveur de compteurs avec des points d'interrogation dans les yeux. Il a compris ma question muette et m'a dit:

— Écoute Jérôme, quand tu seras sur la scène en train de chanter de belles chansons, pense à nous qui serons agenouillés dans la neige froide à lire des compteurs pour le restant de notre vie. Si j'étais toi, je n'hésiterais pas une seconde.

Ce compagnon de travail s'appelait Claude Mireault et, d'une certaine façon, c'est grâce à lui si je suis dans le show business.

Mais je n'étais pas encore sûr de mon affaire. J'ai décidé de demander un salaire exorbitant et j'ai dit au gars qui m'avait fait la commission:

— Dis que j'exige 75 $ par semaine, plus la nourriture et le logement.

La réponse n'a pas tardé à venir.

— Ils acceptent, Jérôme. Monsieur Bilodeau, du Manoir du Nord, va te donner ce que tu exiges et pour trois mois à part cela.

Et voilà comment je me suis lancé, pas trop certain de moi-même. Mais j'aimais déjà tellement le métier! Qui aurait pu croire à ce moment-là que, dans les années à venir, je ferais partie d'un tandem qui serait en grande vedette au Ed Sullivan Show et à l'Olympia de Paris, les *Jérolas*?

Mais j'avais beaucoup à apprendre et j'ai été à dure école, la meilleure. J'en ai fait des *hôtels*. Je me souviens encore que partout où j'allais on me demandait de chanter *Pretend* ou *Blue Moon*.

Je me suis produit dans les plus grosses boîtes de l'Abitibi, comme au chic Moulin Rouge. Quel décor!... Tout était en rouge, évidemment, avec des peintures de danseuses de cancan. C'est pendant tous ces déplacements que je me suis joint aux «Naturels» un groupe de quatre musiciens. Mais, peu de temps après, le groupe se dissolvait et je suis resté avec Raymond Hébert, un des membres du groupe. Nous avons travaillé ensemble et ça a été très bien. Il avait beaucoup de talent et il jouait fort bien de la trompette.

C'est ainsi qu'est né le tandem Jay & Ray. Nous ne faisions presque pas d'imitations, nous étions plutôt des chanteurs-musiciens. Nous avons été partout tous les deux, même au Look-Out Club où Jimmy Durante s'était produit. Puis, un soir, à Val-d'Or nous avons eu l'occasion de voir les Tune-Up Boys accompagnés de leur gérant Ed Fiegerman.

Je dois dire que j'avais été très impressionné par leur spectacle. Déjà, ils se servaient de «bats» de baseball et de toutes sortes d'objets bizarres. Je m'étais dit: «Il faut absolument que nous passions une audition devant Monsieur Fiegerman.» À ce moment-là, devinez qui était maître de cérémonie? Nul autre que le regretté Charlie Beauchamp. Il nous a donné des tas de conseils, d'ailleurs, en nous disant comment nous y prendre pour réussir. Après, il nous répétait que le show business, c'était difficile, affreux, une ligne épouvantable. Je lui demandais alors:

— Pourquoi nous dire cela puisque vous voulez nous aider?

Et il répondait en soupirant:

— Je sais, c'est dur, je vieillis, mais vous autres, vous êtes encore jeunes et puis... vous offrez du nouveau.

Il faut dire qu'il faisait une vie fatigante car il était également camionneur à Val-d'Or... En tout cas, nous avons finalement auditionné pour Monsieur Fiegerman et nous avions bien l'impression que ça n'avait rien donné quand, un beau matin, nous avons reçu un télégramme à Senneterre où nous travaillions: «*Attention, Jay & Ray! You are opening at the Beaver Cafe, Ste-Catherine Street in Montreal, next week.*»

Et c'était signé Ed Fiegerman.

Les voisins ont dû entendre les cris de joie que je poussais dans ma chambre d'hôtel. Que j'étais excité, fébrile, nerveux! La grande ville nous attendait.

Quand nous avons quitté Senneterre, j'avoue que j'étais pas mal nerveux. C'était la toute première fois que je quittais mon patelin et je m'en allais vers l'insécurité et l'inconnu. Les paroles de Charlie Beauchamp me revenaient: «Le show business, c'est une jungle, on ne sait jamais ce qui nous attend.» En fait, j'étais tellement nerveux que, dans un petit village, j'ai reculé au lieu d'avancer à une intersection.

Je me vois encore tout piteux au volant de ma *Mercury*. Un policier s'approche et me dit:

— Veux-tu que je te rentre en dedans pour quelques jours?

Alors là, j'ai eu peur. Je devais commencer le lendemain au Café Beaver, j'avais un contrat de signé et je ne voulais pas manquer ma chance. Mais le policier nous a finalement laissés partir... ouf....!

Je n'oublierai jamais mon arrivée à Montréal. Quelle ville! J'avais surtout une impression de grande liberté, j'ouvrais de grands yeux. Je me sentais comme un Africain qui débarque à New York. Tout était tellement nouveau.

Au Café Beaver, nous avons été bien reçus.

À ce moment-là, Roméo Pérusse était maître de cérémonie. Quel boute-en-train incroyable! Je l'ai vu tenir des salles en haleine deux ou trois heures d'affilée. Ça ne le fatiguait pas du tout. Il remplaçait Gaston Campeau qui était concurrent au concours Pick the Star à la télé. Nous en étions d'ailleurs aux débuts de la télé. Roméo avait été d'une gentillesse incroyable avec nous. Par la suite, quand Gaston est revenu, lui aussi, nous a pas mal aidés. Nous devions tout de même avoir l'air un peu perdus. Et il y a eu enchaînement. Sans dire que Jay & Ray sont devenus des vedettes du jour au lendemain, nous étions dans le «circuit» et nous avions des engagements à toutes les semaines.... Chez Émile à Québec, le Marine Club à Sorel, Shawinigan, Trois-Rivières.... nous avons pas mal voyagé.

Pour moi, c'était le ravissement, j'allais de découverte en découverte. J'avais l'impression d'être Alice au Pays des Merveilles.

Je me rappelle, je n'en revenais pas de voir six danseuses sur la scène. Et les loges, l'odeur du make-up, les changements de costumes. Le monde du show business, il est vrai, est assez particulier, mais je me suis senti tout de suite à l'aise et dans mon élément. Nous avons fait des foires et, une fois, nous avons travaillé avec Muriel Millard. Elle était une grande vedette à Radio-Canada dans le temps. Toutes ces plumes... ces paillettes...

Malgré tout, je préférais Montréal, mais j'ai vu le visage de cette ville changer de façon dramatique en 1955 au moment où le maire Drapeau a été élu. Il avait décidé que Montréal ne serait plus une ville ouverte. Ça avait donné un dur coup aux cabarets. J'avais composé une petite chanson que je chantais sur l'air de *Davey Crockett* qui disait: «Ah... le maire Jean Drapeau... la prochaine fois, vous saurez pour qui voter.» Cette chanson était toujours applaudie.

Je ne faisais pas encore beaucoup d'imitations proprement dites, car je n'étais pas assez sûr de moi, mais je faisais pas mal de blagues et de satires. J'ai toujours été assez moqueur. Ray et moi nous nous entendions bien et, une fois, il m'avait convaincu de faire une imitation de Jen Roger.

Il faut dire que Jen m'impressionnait beaucoup. Il était si grand, si maigre, et il avait une façon de foncer. Il représentait une sorte d'idéal pour moi, dans le fond. En tout cas, je l'avais imité chez Émile et ça avait été bien reçu.

Il faut dire que Chez Émile, c'était assez particulier. La première fois que je suis arrivé là, je me suis dit: «Mais c'est comme à Paris ici.» Remarquez que je n'étais jamais allé à Paris, mais ça faisait tellement français, chaleureux, comparé à Montréal.

Il y a une autre raison pour laquelle je n'oublierai jamais Chez Émile. C'est là que j'ai rencontré Jean Lapointe pour la première fois. Il était venu au cabaret en spectateur et il avait dû aimer mon spectacle. En tout cas, j'étais tranquillement assis dans ma loge quand il entre, comme cela, sans frapper.

— Salut! Félicitations, j'ai vu ton show, il est très bon. Je fais des petites imitations moi aussi tu sais. Et il s'empare de ma guitare et me fait une imitation, une excellente imitation de Félix Leclerc. Moi, je la faisais à ce moment-là mais je devais admettre honnêtement:

— Franchement, je dois avouer que tu l'as mieux que moi.

Et Jean de me répondre:

— En tout cas, tab... tu joues drôlement bien de la guitare, toi. Et avec ton partenaire, vous avez des harmonies tout à fait excellentes.

Et il était reparti aussi rapidement. Cinq minutes après son départ, j'avais oublié comment il s'appelait. Même son nom ne me disait rien et il a fallu que je le revoie en chair et en os pour que je me rappelle qui était Jean Lapointe.

À ce moment-là, il était un assez obscur imitateur qui se faisait appeler Jean Capri. Mais ça, c'est le début de la véritable histoire.

CHAPITRE 3

LES DÉBUTS DES JÉROLAS

Nous sommes en 1955 et Jay & Ray étaient bien établis. Mais... un soir, Raymond s'est fait prendre par sa femme alors qu'il était en train de flirter avec une danseuse. Ça avait bardé pas pour rire, car sa femme était extrêmement jalouse. En fait, Ray a eu tellement peur qu'il s'est sauvé... loin, jusqu'à Vancouver, et je me suis retrouvé sans partenaire. Ce fut une période difficile pour moi. Je n'étais pas habitué à travailler seul sur scène et il me semblait que même mes meilleures chansons tombaient à plat. Je retravaillais mon numéro, je n'aimais pas cela, je me cherchais, quoi. À ce moment-là, je me faisais appeler Jay Rome car la mode était aux noms américains.

Un jour, j'étais à Sorel. Je reçois un coup de téléphone de Montréal:

— Salut! Mon nom est Jean Lapointe. Paraît qu'on va faire un duo ensemble... c'est Maurice Bougie qui m'en a donné l'idée. Qu'est-ce que tu en penses?

Qu'est-ce que j'en pensais? Je ne savais même pas à qui je parlais. J'avais complètement oublié notre brève rencontre à Québec. J'ai donc répondu prudemment:

— Moi, les partenaires, ça ne me tente pas... j'en avais un bon, il a tout laissé tomber... j'en ai soupé.

— Nous autres, je suis certain que ça va marcher.

Nous avons pris rendez-vous pour le dimanche suivant et j'ai terminé ma semaine à Sorel en me demandant à quel genre de moineau j'allais avoir affaire. Je travaillais alors avec Denyse Anger. Elle avait une belle voix, mais elle était tellement froide et ennuyante sur scène. Ça n'a jamais marché beaucoup pour elle, ici, non plus. Mais, à Toronto, elle a réussi à percer. Il faut dire que le public anglophone est plus froid. Sa sœur, Danièle Dorice, avait plus de «pep» et de vie, et elle s'arrange bien aujourd'hui.

Denyse s'est tout de même souvenue de moi. Elle avait, par la suite, épousé un important réalisateur qui travaillait aux É.-U. et elle avait obtenu une audition pour nous à Los Angeles. Il y avait également Don Arès qui travaillait avec nous à Sorel. Ça m'a fait drôle la première fois que je l'ai entendu. Cette belle voix de ténor, classique, raffinée. Puis, il se mettait à raconter des histoires pas mal cochonnes. Mais, au cabaret, les histoires osées, c'était fort prisé dans le temps. Il en avait tout un répertoire.

Le dimanche suivant, j'arrive à l'adresse indiquée par Jean à 1 heure 30 précise. Je frappe et je frappe, ça ne répond pas. Finalement, après un bon laps de temps, Jean ouvre la porte. Il est clair que je l'avais sorti du lit, il avait l'air tout endormi.

— Quelle heure est-il?

— Fais vite, il est 1 heure 30 déjà.

— Bof, j'ai le temps en masse.

Je me suis rendu compte qu'il était pas mal bohème. Finalement, il enfile son pantalon, un pantalon tout fripé, qu'il portait tous les jours, et nous voilà ...enfin...

partis pour le théâtre Canadien où Jean jouait dans une production de Jean Grimaldi.

Quand nous sommes arrivés, il est entré en trombe et, comme je n'étais pas familier avec l'endroit, je suis resté un peu en arrière. Il a filé vers les loges et j'ai entendu Paul Desmarteaux dire:

— Est-ce que Jean Capri serait encore en retard?

Je me suis dit que ce gars-là ne devait pas être trop fiable. Les autres l'attendaient sur la scène pour commencer. Il en avait poussé une bonne.

— Jean, tu es en retard, nous t'attendons.

— Ça fait partie du scénario, non?

Immobile, dans les coulisses, j'ai observé Jean qui donnait son numéro. J'ai tout de suite réalisé la valeur qu'il pourrait avoir pour un duo.

Après le spectacle, je l'ai félicité et je lui ai dit que je trouvais son numéro très au point, sauf peut-être pour la chanson d'ouverture. Il chantait *Et bâiller et dormir* et je ne trouvais pas que ça démarrait assez vite. Mais son numéro au mini-piano était excellent. Et j'avais ajouté:

— Ton show est fantastique, je ne vois vraiment pas pourquoi tu aurais besoin d'un partenaire.

Il faut dire que je n'avais pas été le seul à penser ainsi. Après le spectacle, Jean m'avait présenté aux autres artistes dont Olivier Guimond, Manda Parent, Jean Grimaldi et Paolo Noël. Eux aussi disaient que Jean n'avait pas besoin de partenaire. Mais quand Jean voulait quelque chose, il savait être convaincant. Il avait précisé:

— Je t'ai vu travailler à Québec et tu m'as eu avec ton jeu de guitare et ta voix de ténor. J'ai besoin d'un gars comme toi et puis… je n'aime pas travailler seul.

Je me suis dit que nous pourrions toujours essayer. Nous avons commencé à répéter au théâtre Canadien. Je me rappelle, j'étais fasciné par le jeu d'Olivier Guimond et de Paul Desmarteaux. Quel sens du «timing»! Je n'ai jamais revu rien de semblable comme perfection.

Tout le monde était pas mal sceptique en ce qui nous concernait. Seule Madame Grimaldi était réellement d'accord avec l'idée d'un duo composé de Jean et moi. Elle avait dit:

— Je vous regarde travailler et je suis certaine que vous irez très loin tous les deux.

Ce en quoi elle ne s'était pas trompée. Et c'est ainsi que tout a commencé.

Il y avait un gros contraste entre nos deux personnalités. Ça explique probablement notre succès, mais nos *backgrounds* étaient tellement différents. Vous connaissez déjà le mien. Jean, lui, avait commencé comme M.C. dans les cabarets à Québec. Le jour, il vendait de l'assurance, mais comme il essayait de vendre des polices aux clients dans les clubs, le soir, la compagnie l'avait remercié. Après, il avait continué comme fantaisiste au piano dans les cabarets et, de concours d'amateurs en concours d'amateurs, il avait décroché un engagement de huit semaines au Caprice pour ensuite se produire en vedette américaine au Casa Loma.

Nos goûts différaient beaucoup. On avait même écrit dans un journal que j'étais le rat des champs et qu'il était le rat des villes. Il était Roger-Bontemps et fantaisiste, moi j'étais plus sérieux. Il dépensait tout son argent et était souvent fauché. Quand nous nous sommes rencontrés, nous ne faisions pas beaucoup d'argent ni l'un ni l'autre. Il gagnait 35 $ par semaine et en payait 22 $ pour sa chambre. Moi, j'en avais pris une à 10 $.

En fait, il était toujours «cassé» et, dès le début de nos relations, je me suis dit qu'il n'était sûrement pas très économe. Je ne m'étais pas trompé. De toute façon, ce n'était pas mon problème.

Il faut dire que ça n'a pas été long que Jean m'a révélé des facettes de son caractère que je n'avais pas soupçonné. Je n'oublierai jamais le jour où il m'est arrivé avec trois filles. «Je leur ai dit que moi et mon nouveau partenaire, nous allions leur faire un show.» Il avait dit cela pour les attirer. Moi, je regarde les trois filles, mal habillées, des vraies «gribiches». J'aimais bien les filles, je les ai toujours aimées, mais elles n'étaient pas regardables. Et puis... il y en avait une de trop.

Ça ne prenait pas un cours classique pour en déduire que Jean avait un p'tit coup dans le nez. Je suis donc parti tout seul au restaurant et Jean, ayant laissé tomber les filles, est venu m'y rejoindre. Je me posais des questions, c'est certain. Je me disais que ce gars-là était bien trop bohème pour moi... mais il avait du talent... ça c'était certain.

J'ai donc décidé de m'expliquer avec lui franchement et au retour, dans ma voiture, je lui ai dit:

— Jean, nous deux, ça ne marchera pas. Nous sommes tellement différents l'un de l'autre. Nous serions mieux d'oublier cette idée de duo.

L'alcool aidant, il a fondu en larmes.

— Pour une fois que je pensais avoir trouvé un bon partenaire. Tu ne peux me refuser cela, voyons, penses-y...

Et comme, moi aussi, je pensais que je venais de trouver un bon partenaire, j'ai ajouté, après un long silence:

— Non, à moi non plus, je ne puis me refuser cela.

Là-dessus, nous nous sommes serré la main comme nous l'avons fait si souvent par la suite après un grand succès ou une dispute. Notre association a tout de même duré dix-neuf ans et il s'est passé bien des choses durant ce temps. En tout cas, quand j'y repense, je revois son sourire, un sourire qui le caractérisait, et je savais, je sentais à ce moment-là qu'il était sincère. Les Jérolas venaient de naître. Ce nom en a intrigué plusieurs. Il s'agissait tout simplement des premières lettres de mon nom JERO et des première lettres du nom de Jean LApointe.

Dès le début, nous avons eu beaucoup de succès. Les Jérolas se sont rapidement fait connaître. Ça m'amuse, car certains nous appelaient les Jéhovas; mais ce fut de courte durée. En tout cas, nous n'avons pas eu le temps de nous ennuyer, c'est certain.

À cette époque, Charlemagne Landry, tout un personnage, était le propriétaire du Café Minuit. Avant de devenir propriétaire de cabaret il était avocat et il avait cessé de pratiquer le droit pour se lancer dans l'hôtellerie. J'ai su, récemment, qu'il est retourné au droit. Il est maintenant âgé de soixante-quatorze ans. Il s'est très étroitement impliqué dans la carrière des Jérolas à titre d'imprésario. En fait, pendant longtemps, il a été notre trait d'union.

Avant de rencontrer Charlemagne Landry, je dois dire que, même si nous arrivions à travailler d'une façon assez régulière, nous avons connu d'humbles débuts. Les longues attentes dans les agences, les hot dogs, les sandwichs, etc., c'était dur. Mais Jean était impayable. Il ne prenait pas la vie trop au sérieux, trouvait tout drôle et, même dans les salles d'attente, il faisait des pitreries qui faisaient rire tout le monde. Je n'étais pas aussi fauché que lui, mais pas de beaucoup. Nous roulions toujours dans ma *Mercury* et il me fallait en rencontrer les paiements.

Vous auriez dû nous voir à un moment donné. Pour économiser, nous avions loué un très minuscule appartement. C'était tellement petit que nous partagions le même divan-lit qui prenait toute la place quand il était ouvert. Mais, par la suite, les choses devaient s'améliorer grâce à Charlemagne Landry.

Il nous avait engagés pour nous dépanner. Il était merveilleux, il voulait aider tout le monde. En fait, toujours pour nous dépanner, il nous invitait au restaurant. Tous les jours, depuis que je le connais, Charlemagne Landry invite des gens à manger avec lui au restaurant... ses amis... les amis de ses amis... des connaissances, bref, il payait des additions énormes. Je l'ai même vu inviter des troupes au complet après des représentations. Quel grand cœur!

Nous sommes toujours vers la fin de l'année 1955, Maurice Gauvin — vous vous souvenez, l'Oncle Albert *de 14 rue des Galais* qui était un ami de Charlemagne, l'avait décidé à convertir une des salles du Café Minuit en boîte à revues. C'est ainsi qu'est née La Barak, et Charlemagne a fait une publicité monstre pour en annoncer l'ouverture. En fait, je pense qu'il avait invité la ville de Montréal au complet. Charlemagne ne faisait jamais les choses à moitié.

C'est à La Barak que nous sommes véritablement venus au monde, si je puis dire.

Les revues écrites et basées sur l'actualité plaisaient beaucoup au public. C'était plein tous les soirs. En fait, les critiques avaient commencé à nous remarquer et nous avions été baptisés «le dessert de la soirée». À ce moment-là, nous travaillions très fort sur les imitations. Ceux qui se souviennent de l'époque vont sûrement se rappeler un numéro qui débutait comme ceci: «*Je... Je veux ... je veux que tu sois... qui? Maurice Chevalier.*» Et, tour à tour, nous devenions Gilbert Bécaud, Tino Rossi, Charles Trenet, Liberace, Louis Armstrong et de nombreux autres. Il y avait toujours foule et il n'y avait pas à s'en étonner car les spectacles étaient de choix. Je n'écris pas cela parce que nous étions là, nous n'étions pas encore de grandes vedettes. Mais Maurice Gauvin, Paul Desmarteaux, Jean Claveau, Jean Rolland, Carole Mercure, Colette Mérola et Fabienne Scheers réunis sur la même scène, dans la même revue, ça ne pouvait manquer de soulever les foules.

Je pense qu'il y avait souvent autant d'action dans les loges que sur la scène. Je me souviens qu'une fois une dispute avait surgi entre Maurice Gauvin et Carmen Mérola. Jean criait: «Il y a un chien dans la place.» Maurice Gauvin, qui a tout entendu, ne se possède plus et rétorque à Jean: «Tu ne viendras jamais à la cheville de mon pied.» Il faut dire que les deux étaient un peu ivres.

Dans ce monde du show business l'alcool tient une place assez prépondérante. Ainsi, il arrivait même à Olivier Guimond de «filer» bien. Une fois, il s'était pas mal engueulé avec Jean, lui aussi, et avait dit: «Vous autres, les Jérolas, si ça marche, c'est à cause de lui»... en me pointant du doigt. Je ne savais plus où me mettre. Mais ces incidents étaient vite oubliés et la fièvre du métier nous reprenait tous. Quand nous avions les pieds sur les planches, les différends étaient oubliés.

Nous avons été remarqués grâce à un spectacle pour lequel, il faut bien le dire, nous avions travaillé d'arrache-pied. La revue *Montréal mis à nu* avait connu beaucoup de succès, mais les autres n'ont pas été moins appréciées. Je suis passé l'autre jour à l'angle de Mont-Royal et avenue du Parc. J'ai regardé avec nostalgie le garage qui a pris la place du Café Minuit.

Je pense que le plus grand moment de cette époque-là ça a été quand nous avons été invités à la télévision qui, elle aussi, en était pas mal à ses débuts. Et nous avons été plus que gâtés: pour notre première apparition, nous étions à la prestigieuse émission *Music Hall* animée alors par Michelle Tisseyre qui faisait très grande dame, mais qui n'avait pas l'air snob du tout. Gâtés? Ce n'est pas le mot... nous allions non seulement rencontrer notre idole, Félix Leclerc, mais nous allions faire partie du même spectacle que lui. C'était en 1956. À ce sujet, je me permets une parenthèse. Dans le temps, le domaine des variétés fonctionnait beaucoup mieux qu'aujourd'hui. Je pense que l'une des raisons c'est que la télévision n'hésitait pas à présenter, à une même émission, des artistes de genres différents. Ainsi, avec Félix et nous-mêmes, il y avait également Paolo Noël qui avait l'air, lui aussi, pas mal impressionné de rencontrer le grand Félix.

C'est Noël Gauvin qui nous a donné notre première chance à la télé. Il était extraordinaire, il pensait vraiment à tout. Ainsi, il me disait de me mouiller les cheveux avant l'émission et il défendait à Jean d'en faire autant. La raison? Il voulait que le contraste entre «le blond» et «le noir» fût plus frappant.

Le plus drôle de l'histoire, c'est que j'avais une peur bleue d'aller à Radio-Canada. J'avais entendu dire qu'il y avait pas mal d'homosexuels dans la place.

— Que vais-je faire s'il y en a un qui m'approche? Je vais foutre le camp et tout sera à recommencer.

Mais je m'étais inquiété inutilement et tout a bien fonctionné. Personne ne m'a ennuyé.

Ce que nous pouvions être nerveux avant cette émission! Jean n'en avait pas dormi de la nuit. Il m'avait dit après l'émission: «J'avais tellement peur que Gauvin n'aime pas cela. Pour aucune raison, je n'aurais voulu le décevoir.» Il faut dire que nous avions une admiration sans borne pour lui. Après cette émission, nous étions «lancés» et plusieurs réalisateurs avaient les yeux sur nous.

Mais ce dont je me souviens le plus, c'est notre rencontre avec Félix Leclerc. Il nous avait dit: «Vous savez, vous devriez vous appeler les Deux Jérôme.» Et nous avions trouvé l'idée bonne, car ça faisait plus québécois. Mais le nom des Jérolas était déjà connu et c'était risqué de changer. Mais ce merveilleux Félix s'est souvenu, lui aussi, de notre courte conversation. Dix ans après, alors que nous faisions nos débuts à Paris, il nous a envoyé un télégramme, qui disait tout simplement: «Bravo et re-Bravo les Deux Jérôme». Ça aussi, ça nous avait fait énormément plaisir.

Entretemps, le torchon «brûlait» du côté de La Barak. Maurice Gauvin avait décidé de quitter pour s'en aller au Café Provincial, et certains se demandaient si toute la troupe n'allait pas le suivre. Mais seule Carole Mercure l'a fait. C'est le journaliste André Rufiange qui avait sorti la nouvelle. On avait parlé de bataille juridique entre Maurice Gauvin et Charlemagne Landry mais il n'en fut rien.

Notre carrière allait fort bien. Nous avons eu plusieurs «hits». La *Mambo du Canada* a marché très fort ainsi que *Perle des Antilles*. Nous étions bien cotés et nous avions même été invités à la fête annuelle des journalistes et Jacques Daoust, le secrétaire du Syndicat des journalistes de Montréal, nous avait envoyé une très belle lettre de remerciements, fort élogieuse.

Puis la tournée des cabarets s'est poursuivie... Les Forges à Trois-Rivières, le Café de l'est, le club social de Shawinigan, Miami, puis une nouvelle apparition à Music hall. Nous avons fait les plus gros clubs de la province à ce moment-là et c'était incroyable de voir ces foules records partout. Au Faisan Bleu, ce fut la folie; à l'Eldorado en refusait de nous laisser partir et au Casa Loma, c'était presque du délire. Je ne dis pas cela pour nous vanter, mais même pour les observateurs du show business, notre rapide ascension avait quelque chose de phénoménal.

Une des raisons de notre succès a sans doute été due au fait que nous avons continuellement renouvelé notre matériel, même si c'était épuisant de préparer continuellement des nouveaux numéros. Mais le public n'aimait pas le «réchauffé» et nous le savions.

Ce fut une époque délirante. Il faut dire que les filles nous draguaient pas mal. Il nous en est arrivé des bonnes à Jean et à moi. C'est incroyable, mais il y a des filles qui ne font que courir d'un cabaret à l'autre pour y rencontrer des vedettes. Et elles ne se font pas prier pour coucher. Mais, même là, Jean et moi avions des façons différentes de procéder. J'y allais avec une certaine réserve. Lui, il fonçait.

Il avait souvent de la visite dans sa loge et les «p'tites vites», c'était son fort. Moi, je préférais les emmener dans ma chambre d'hôtel et prendre mon temps.

Nous distribuions pas mal de photos également. Nous recevions des lettres d'amour, des poèmes: «Je t'aime, je rêve à toi», vous voyez le genre. En fait, ces fameuses photos... elles étaient autographiées. Mais Jean ne perdait pas de temps à cela. Je signais donc, puis j'imitais sa signature. Les filles n'y ont vu que du feu.

Dans le milieu des cabarets, Claude Landré débutait et j'avoue qu'il nous avait inquiétés avec l'excellence de ses imitations. Il était maître de cérémonie, il chantait, et ses imitations étaient remarquables. Yvan Daniel marchait fort également. Partout on lui demandait de chanter *Domani* et il voulait à tout prix que nous fassions une imitation de lui.

Mais tous les maîtres de cérémonie n'étaient pas toujours gentils... gentils. Certains, jaloux des artistes, les présentaient mal. Guy Roger, par exemple, faisait tout pour dépasser Jen Roger au Casa Loma, mais il n'y arrivait pas. Il disait: «S'il peut se faire dégommer.»

De son côté, l'excellent Dean Edwards s'est complètement bûlé à boire... Quel dommage! Il avait beaucoup de talent. Claude Valade était réellement «cute» et il y a eu toute une compétition entre un propriétaire de club, Jen et moi, car nous lui faisions tous la cour. Je ne vous dirai pas comment s'est terminée cette histoire-là. Rosita Salvador était également attirante, bien qu'un peu grassette. Mais ça lui allait bien. En tout cas, nous n'avions pas raison de nous ennuyer, c'est certain, et les choses s'amélioraient sans cesse pour nous.

Nous volions donc de succès en succès et, comme il fallait s'y attendre, une compagnie de disques s'est intéressée à nous... En fait, le 12 décembre 1956, nous avons lancé notre tout premier disque sur étiquette R.C.A. Victor. Il s'agissait d'une version française de la chanson d'Elvis Presley *Love me Tender*. J'avais écrit les paroles et la chanson s'appelait en français *L'amour et moi*. Sur l'autre face, il y avait *Rythme et fantaisie*. Nous avons rapidement enchaîné avec un second disque *Le mambo du Canada* et *La légende du pays des oiseaux,* mais nous cherchions toujours le gros «hit».

Que pouvions-nous souhaiter de plus? Après un an à La Barak, nous avions été invités sept fois à Music Hall, nos disques étaient dans tous les «juke box» de la province, nous étions comblés. Mais Charlemagne Landry avait son idée et il mijotait quelque chose. Il avait décidé de nous emmener à Paris pour élargir nos horizons. Je me rappellerai longtemps de ce voyage.

Mais, avant, je pense qu'il convient de se pencher sur ce qui se passait en coulisse. Il est certain que deux hommes, aux caractères aussi différents que Jean Lapointe et Jérôme Lemay, ne pouvaient s'entendre à tous les niveaux. Il y a eu des journées où ça n'était pas rose du tout. Il est arrivé parfois où je voulais tout lâcher, mais une solide amitié nous unissait Jean et moi et, sur le plan travail, nous nous accordions tellement bien.

Me voici à l'âge de 12 ans posant fièrement avec ma guitare.

Une de mes premières «jobs» pour la Québec Northern Power en compagnie d'un ami, Mickey Armstrong.

Un premier orchestre dans la région de Rouyn. Je suis le deuxième, à droite.

Une photo officielle. On reconnaît Raymond Hébert, Roland Bergeron et Norman Roberge.

Une photo d'amoureux avec ma «blonde». Elle allait devenir ma femme.

Le 29 octobre 1957, c'était le grand jour.

Ma sœur Marguerite (au centre) a été pendant plus
d'une dizaine d'années religieuse au Japon.

Une autre de
mes sœurs,
Jacqueline, a
fait de la
chanson
pendant
plusieurs
années.

Une belle famille, la mienne, mon épouse Lisette, et les
enfants Sylvie, Michel et Jérôme jr.

Le Casa Loma était, à une certaine époque, le temple du spectacle à Montréal.

Notre gérant, Charlemagne Landry, nous avait emmenés au Quartier Latin à New York au début de notre association.

Pour nous, des Jérolas, quelle joie que de rencontrer la grande Édith Piaf!

Deux ensembles fort populaires à la fin des années 50. Les Three Bars et Les Jérolas.

Une belle époque, une revue. On reconnaît Jean Lapointe, Fabienne Sheer, moi-même, Carole Mercure, Jean Claveau (au piano) et les regrettés Maurice Gauvin et Paul Desmarteaux.

Les Jérolas reçurent un trophée, en 1966, lors du Gala du disque.

En novembre 1966, en compagnie de Mesdames Lise Payette et Nicole Germain.

Un autre groupe qui a fait sa marque, Les Miladys.

Lors d'un lancement de disque, un de nos invités, le sympathique Paul Berval.

Le regretté Jean Claveau fut un des premiers réalisateurs de Télé-Métropole.

Charles Aznavour, entre Jean Lapointe et moi.

Charles Aznavour, Jean et moi, le grand Félix Leclerc et Suzanne Avon.

Les membres des Compagnons de la Chanson nous entourent.

Bruno Coquatrix, Jean Lapointe, Monique Leyrac, Claude Gauthier et moi.

Son Excellence Monsieur Jules Léger et son épouse nous reçurent à l'ambassade du Canada à Paris.

Lors d'un spectacle des Jérolas au Palais Montcalm à Québec avec l'Orchestre Philharmonique de Québec.

Après avoir participé au Ed Sullivan, directement du O'Keefe Center de Toronto, nous fûmes assaillis par les nouveaux fans à la sortie.

Un moment important dans la carrière des Jérolas: notre rencontre avec le célèbre animateur de la télévision américaine, Ed Sullivan.

En 1971, lors d'un
cocktail, en compagnie
de l'échotier Edward
Rémy.

Une photo drôle,
Charlemagne Landry et
son duo Les Jérolas.

Un *bye bye* avec Dodo
et Denyse.

Marie-Josée Longchamps, Jean Lapointe et moi.

Nous nous amusons en compagnie de Percival Bloomfield et d'Yvon Blais, tous deux alors propriétaires du Patriote.

CHAPITRE 4

PREMIER VOYAGE À PARIS

C'est en 1956 qu'un incident m'a fait réaliser que Jean levait peut-être trop souvent le coude. Ça n'était pas encore un gros problème, à ce moment-là, mais les choses allaient empirer par la suite.

Je n'ai d'ailleurs pas l'intention d'écrire un livre sur l'alcoolisme de Jean, il n'y a rien de nouveau là. Tout le monde savait qu'il buvait trop. Malgré tout, je serai forcé d'y faire allusion dans la mesure où ça a affecté notre carrière.

Les choses allaient bien. Nos cachets montaient régulièrement. Au début, Charlemagne nous donnait 400 $, puis ce fut 600 $, 700 $. Les payes étaient bonnes. On commençait à parler de nous un peu partout. Mais, un soir, à La Barak, je n'oublierai jamais... C'était bondé d'étudiants, tout le monde était de bonne humeur... trop peut-être... même que mon partenaire... En tout cas, je ne sais trop pour quelle niaiserie, mais la soirée est devenue un véritable cauchemar. Il y a eu une royale engueulade entre Jean et les étudiants.

Remarquez que ce genre de chose peut se produire assez fréquemment dans le monde du cabaret. Il peut arriver que quelqu'un fasse une farce plate. C'est un peu le travail des artistes d'être diplomates, de profiter d'une situation, mais sans blesser personne.

En général, Jean réagissait vite dans de telles circonstances. Il était souvent d'un raffinement extraordinaire pour nous sortir des situations difficiles. Mais, ce soir-là, ce fut la catastrophe et j'étais bouleversé.

Peu de temps après, Messieurs Blouin et Drolet, du Coronet de Québec, étaient venus voir notre spectacle à Montréal. Ils voulaient s'assurer que la publicité n'avait pas menti à notre sujet. Heureusement, tout s'était bien passé ce soir-là.

Le lendemain, quand nous nous sommes rencontrés pour répéter, je n'étais pas trop de bonne humeur.

— Si tu as l'intention de prendre un coup comme ça, je te préviens, je débarque du show...

— Si tu as l'intention de me faire des ultimatums de ce genre, moi aussi je vais débarquer.

Cette fois-là, nous nous étions pas mal engueulés et Charlemagne avait eu l'occasion d'exercer ses fonctions d'arbitre pour la première fois... Ça n'allait pas être la dernière, je vous l'assure.

Il tenait au tandem des Jérolas, il croyait en nous. Peu de temps après, il nous a fait une proposition très alléchante.

— Les p'tits gars, écoutez! Que diriez-vous si, pour la première année, je ne prenais aucune commission en tant que gérant. Par la suite, je ne prendrai que 25 pour cent de ce que vous gagnerez.

Il se disait peut-être qu'il allait se reprendre quand nous serions devenus célèbres, mais il ne calculait pas. Charlemagne Landry était un homme très généreux et il était sincère dans son désir de nous aider. Il savait que cette proposition allait nous donner une chance pour «partir».

Il s'intéressait véritablement beaucoup à notre bien-être et à notre carrière. Un jour il nous est arrivé en disant:

— Faites vos valises. Il faut absolument que vous alliez voir ce qui se passe ailleurs. Nous partons pour Paris.

Nous étions fous de joie, mais j'étais mélancolique au départ. Il me fallait laisser Lisette en arrière, ma Lisette que je fréquentais toujours. Elle aussi était pas mal découragée de me voir partir. Les adieux furent déchirants:

— Tu ne m'oublieras pas?

— Je vais t'attendre et penser à toi.

— Je vais t'écrire tous les jours.

À la vitesse où allait le courrier, la plupart des cartes que j'avais envoyées à Lisette sont arrivées après mon retour.

En tout cas, pour être certain que Lisette ne m'oublierait pas, je lui avais acheté un tourne-disques afin qu'elle puisse écouter ma voix pendant mon absence. Je sais que ça fait romantique et naïf, mais nous étions ainsi.

C'était la toute première fois que je prenais l'avion et j'étais excité pas pour rire. Dans l'avion, Jean a constamment fait des blagues, faisant rire les hôtesses et tous les passagers. Malgré tout, ce fut long. Montréal-Gander, Londres et, enfin... Paris... Alors là, la fatigue d'un voyage qui avait duré deux jours, le bruit des moteurs, les jambes engourdies, tout cela a été oublié d'un coup sec.

Nous n'allions pas à Paris pour travailler, mais pour nous «déniaiser». Ça, Charlemagne l'avait bien spécifié. Dès le premier jour, nous avons commencé la tournée des grands ducs. Charlemagne n'avait pas fait les choses à moitié: nous étions descendus dans un chic hôtel. Nous avons été voir le spectacle de Jeanne d'Arc Charlebois. Qu'elle était heureuse de voir arriver des Québécois! Elle ne cessait de poser des questions sur ce qui se passait au Québec, elle a offert de nous présenter à divers agents, etc.

Puis, nous avions rencontré Raymond Lévesque. Ce qu'il travaillait fort! Ça marchait bien pour lui, mais, chaque soir, il donnait des spectacles dans trois boîtes différentes. C'est dur, ça. Puis nous avons été voir Maurice Chevalier à l'Alhambra, Gilbert Bécaud à l'Olympia, Charles Trenet à Bobino. Nous avons vu le Lido, les Folies Bergère et des chansonniers dans des petites boîtes. Je me sentais bien loin de Rouyn, je vous l'assure. Jean et moi, nous avions les yeux pas mal ronds. Je dois dire que tout ceci était assez impressionnant.

Il y a eu, évidemment, beaucoup de bons petits soupers dans des restaurants divers. Ah... ce que j'ai apprécié la cuisine française! Et, comme toujours, Charlemagne invitait des amis, les amis des amis, des connaissances, et il payait pour tout le monde.

Un bon matin, il nous a dit:

— Je sais que vous n'êtes pas ici pour travailler, mais que diriez-vous de tâter le pouls du public français juste pour un soir?

Il nous avait obtenu une représentation au «Sa majesté le Doyen» sur les Champs-Élysées. Oui, nous avions le trac, mais tout a très bien fonctionné. Les Français ont semblé comprendre quelque chose de ce que nous disions mais, quand nous y sommes retournés, nous savions alors à quel auditoire nous allions nous adresser, et notre spectacle avait été adapté en conséquence. En tout cas, dans le temps, les Parisiens n'étaient pas encore trop détestables.

Ce fut un voyage mémorable en tous points, pour nous. Nous étions fiers aussi de Charlemagne qui semblait connaître tout le monde et avait des contacts partout. Fiers?... pas toujours cependant.

Ainsi, quand nous arrivions dans divers restaurants ou cabarets de luxe, Charlemagne avait pris l'habitude de dire à la préposée au vestiaire de: «*checker ses claques*». Évidemment, la fille ne comprenait rien, et il insistait: «*Voulez-vous checker mes claques, s.v.p.?*» La fille s'énervait, elle se mettait à crier, lui aussi, bref le tout prenait des proportions de mini-émeute pendant que nous ne savions plus où nous cacher. Il faut dire que même l'expression «claques» n'avait pas le même sens à Paris; ils appelaient cela des galoches.

Et que dire lorsque nous entrions en retard dans des salles obscures, mais pleines de spectateurs? L'ouvreuse, sur la pointe des pieds, nous conduisait à nos sièges. Et Charlemagne, d'une voix de stentor s'écriait: «*Y fa ben noère icitte*». Inutile de vous dire que les «Sh... sh...», «silence corniaud», pleuvaient dans la salle. Nous ne savions plus où nous cacher. Même Jean, qui avait pourtant un front de bœuf, ne savait plus quoi faire.

En face de notre hôtel, sur le boulevard Haussein, il y avait des kiosques remplis de machines à boules. Jean y passait pas mal de temps et il ne cessait de demander des avances à Charlemagne sous prétexte d'aller acheter des souvenirs pour ses amis et sa famille. Mais Charlemagne le voyant toujours revenir les mains vides, a fait sa petite enquête personnelle. Il paraît que ça a été assez drôle quand Jean, qui jetait ses sous dans une des machines, a levé les yeux pour apercevoir devant lui son créancier qui avait l'air outragé. Il faut dire que Jean s'est souvent fait «pogner» par Charlemagne.

Jean était toujours aussi panier percé. Souvent, il avait voulu m'emprunter de l'argent mais je m'étais dit que si je me prêtais à ce petit manège, ça ne finirait plus. Aussi, j'ai été ferme et ai toujours refusé, même si Jean revenait souvent à la charge.

À Paris, cependant, nous n'avions pas été trop impressionnés par les Parisiens. Je me souviens qu'une fois nous avions beaucoup marché et nous étions pas mal perdus. Nous décidons donc de prendre un taxi pour aller à l'Olympia. Jean en a hélé un qui nous a demandé, à notre grande surprise:

— Et où voulez-vous aller?

— À l'Olympia.

— Mais vous n'avez qu'à y aller à pied, c'est à deux ou trois pâtés de maisons d'ici.

— Peut-être, mais j'ai mal aux pieds, de répliquer Jean. Emmenez-nous.

— Ça va vous faire du bien de marcher encore un peu.

— Et puis, j'ai mal à la tête.

— Il n'y a rien comme la marche pour soulager d'un mal de tête.

Ce fameux chauffeur de taxi n'a jamais voulu nous prendre, mais j'avais été surpris de voir que Jean avait conservé son calme. Il devait se sentir fatigué pas pour rire.

Le voyage terminé, nous étions ravis de revenir au Québec et moi peut-être plus que les autres, car ma blonde, Lisette, m'y attendait. Je dois reconnaître que Jean m'avait beaucoup aidé au moment où j'ai fait la connaissance de celle que j'allais épouser par la suite. J'avais connu Lisette avant de devenir un des Jérolas et tout de suite elle m'avait beaucoup plu. Seulement, je sortais avec sa sœur Pierrette et il m'a fallu deux semaines avant que je me rende compte que c'est Lisette que je préférais. Il faut dire que ça avait été un peu de sa faute à elle. La toute première fois que je les ai vues, elles étaient assises sur un banc de parc et je les avais trouvées bien mignonnes. Mais, timide, je n'osais les aborder et Lisette, voyant cela, s'était levée et avait cédé la «place» à sa sœur.

Après quelques semaines de fréquentions, j'ai réalisé que la seule façon pour moi de m'approcher de Lisette, c'était de rompre avec Pierrette et c'est ce que j'ai fait. Puis j'ai attendu un petit moment et j'ai contacté Lisette. Le problème, elle me le fit tout de suite remarquer, c'est que Pierrette, elle, ne m'avait pas oublié.

Nous nous sommes donc revus à l'occasion, mais, un jour, Lisette m'a déclaré qu'elle ne pouvait continuer ainsi, qu'elle craignait de déclencher un drame familial à la maison, qu'elle ne voulait pas faire de peine à sa sœur, etc. Et nous nous sommes donc séparés. Ce fut ma première grosse peine d'amour. J'ai essayé de l'oublier... rien à faire. J'étais triste et morose en pensant à elle. Puis, un jour, j'ai eu une idée géniale:

— Jean, j'ai une belle fille à te présenter. Moi, comme par hasard, j'ai envie de voir sa sœur. Ça nous fera une belle soirée tous les quatre.

Notre visite-surprise a eu l'effet escompté. La mère de Pierrette et de Lisette, Madame Allard, était fort intriguée par la ressemblance de Jean avec certains membres de sa famille. Madame s'appelait Lapointe de son nom de fille. Et, à notre grande surprise, tout en causant, nous avons découvert que le grand-père de Jean était le frère du grand-père de Lisette, de Claude et de Pierrette. En fait, ils étaient petits cousins.

Et quand nous sommes sortis ce soir-là, c'est Lisette qui était assise à côté de moi et, depuis, nous ne nous sommes jamais quittés. Elle m'a donné trois merveilleux enfants par la suite, Sylvie, Michel et Jérôme Jr. Le cadet s'intéresse à la poésie, mais faut-il s'en surprendre? Notre aïeul était nul autre que le célèbre poète québécois, Pamphile Lemay.

Cette année, nous célébrons notre 25e anniversaire de mariage, Lisette et moi, et je tiens à lui dire que je l'aime autant qu'au premier jour.

Après le voyage à Paris et mon mariage, le 29 octobre 1957, la vie a repris son cours normal, si on peut parler de vie normale quand on fait du cabaret. Il y a eu les fameuses tournées avec la troupe de Jean Grimaldi.

Je pense que je n'oublierai jamais ces tournées. Il y aurait tout un livre à écrire là-dessus. Le boute-en-train de la bande, c'était nul autre que Claude Blanchard. Il ne pensait qu'à jouer des tours. Ainsi, l'hiver nous logions parfois dans de petites cabines chauffées avec des poêles à bois. Claude, aidé d'un comparse, montait sur le toit de la cabine pendant l'absence de l'artiste ou du musicien et il versait toute une chaudière d'eau dans la cheminée. Imaginez le froid qu'il faisait là-dedans par la suite.

Il avait pris l'habitude d'aller dans la chambre de Monsieur Grimaldi et de renverser le lit... avec Monsieur Grimaldi dedans. Ça criait pas mal fort, parfois. Quand Claude voyait un objet qui l'intéressait dans un théâtre, il le «piquait» et le mettait dans les valises de Monsieur Grimaldi.

Ce pauvre Grimaldi... il avait l'habitude de porter de grands caleçons... beau temps, mauvais temps. Un jour, il annonçait derrière le rideau... en caleçons... quand Jean et Claude ont ouvert le rideau. Le monde riait aux larmes.

Pendant ce temps, Manda Parent passait les programmes souvenirs. Qu'elle était gentille! Souvent, elle invitait les artistes ou les musiciens à manger dans sa petite cabine. On l'annonçait toujours comme Aurore l'enfant martyre. Il y avait aussi Armand Desrochers, le mari de Carmen Déziel, qui chantait *Cœur de Maman* et qui avait de la difficulté à garder son sérieux. Blanchard lui faisait des grimaces pendant qu'il chantait.

Jacques Bélanger nous accompagnait également. Il était toujours «fourré» partout, et lui et Francine Grimaldi faisaient pas mal de mauvais coups.

Je pense que le plus malheureux du groupe c'était un jeune chanteur. Il n'était pas homosexuel, mais avait des allures délicates, quelque peu efféminées. Claude Blanchard l'avait entrepris, il faisait semblant d'être en amour avec lui. Il avait baptisé le jeune homme Zézette et il le harcelait sans cesse: «Voyons, mon beau chéri, viens avec moi, je ne te ferai pas mal», lui disait-il d'une voix acidulée. De son côté, Jean avait commencé à faire la même chose. Le gars en a presque fait une dépression nerveuse; il se sentait traqué, il en avait des tics nerveux. Il était traumatisé. Il doit sûrement se rappeler cela aujour-d'hui.

Moi-même, je n'avais pas échappé à la férocité de l'humour de Claude. Il avait renversé ma commode et mis du sucre dans mes draps. Quel «démon» il était, mais drôle, très drôle! Nous nous serions parfois bien ennuyés sans lui.

Quel bazar! Il y avait un groupe de rockers, une chanteuse, des comédiens, les «boîtes» de son, un micro et quatre petits projecteurs. Nous empilions le tout dans des petites chambres d'hôtel bon marché. Nous payions 2 $ par personne et les musiciens étaient quatre par chambre. Et des salles toujours pleines à craquer; il fallait souvent donner des représentations supplémentaires. Nous étions crevés à la fin de la soirée. Et comme une minable chambre nous attendait, alors nous allions souvent au bar prendre un verre pour nous détendre. Que faire d'autre aux petites heures du matin? C'est d'ailleurs l'un des problèmes majeurs pour les artistes de cabaret. Il est presque impossible de ne pas boire. Il y avait également le fait que les clients, eux, étaient parfois un peu «high» et il y avait tendance à vouloir se mettre à leur diapason.

De 1957 à 1960, à peu près, le problème de Jean a empiré graduellement. Il était souvent en retard pour les spectacles. J'étais obligé de le chercher partout. Quand, finalement, j'arrivais à le ramener, il fallait lui faire boire café par-dessus café, lui faire prendre une douche, le remettre en état, quoi.

De plus, il s'était mis à jouer et il passait parfois ses nuits debout à jouer sans arrêt. Il était donc assez difficile de le réveiller pour le spectacle. Enfin, vous voyez ce que ça pouvait donner. Ça me compliquait drôlement la vie. Il y a eu des moments réellement difficiles.

Notre vie était de plus en plus compliquée et faite de suspense. L'alcoolisme, c'est un mal qui progresse. Je n'écris pas cela, je le répète, pour faire le procès de Jean, mais l'alcool a fait partie de la vie des Jérolas. J'avoue cependant que, par moments, j'étais plutôt à bout de nerfs. Et j'avais également de la peine de voir un homme si brillant se mettre dans des états pareils. Sans compter que ça affectait la qualité des performances, c'est certain. Il m'arrivait d'être obligé de «pousser» sur la chanson d'ouverture pour en arriver à le faire chanter sur la même tonalité et dans la même mesure musicale que moi.

Remarquez que, même à ce moment-là, je dois dire qu'il avait une présence d'esprit incroyable. Je l'ai même vu exploiter le fait qu'il était éméché, qu'il titubait un peu, pour ajouter des gags qui faisaient leur effet. Mais moi, souvent, je riais jaune. Par moments, je n'en pouvais plus. Alors, je communiquais avec Charlemagne Landry par l'interurbain.

— Monsieur Landry, je ne veux plus rien savoir des Jérolas. Ne prenez plus d'engagements pour nous à l'avenir. J'aime mieux faire moins d'argent qu'endurer tout cela.

Puis, je me calmais, jusqu'à la prochaine fois. Mais ce n'était pas drôle. Jean Grimaldi se plaignait à moi, il me disait:

— Ça n'a pas de sens, ça ne fait pas professionnel. Tu devrais faire quelque chose.

J'aurais bien voulu faire quelque chose, mais quoi?

Malgré tout, nous tenions le coup et la réputation des Jérolas était toujours bonne. Nous ne manquions pas de travail, c'est certain. En 1966, nous avons reçu une plaque commémorative sur laquelle on pouvait lire: «Merci, les Jérolas, pour vos 25 passages en spectacle Chez Gérard et À la porte St-Jean.» Et c'était signé: Gérard Thibault.

D'ailleurs, ça avait été toute une affaire que la négociation de notre premier contrat avec Gérard Thibault. Il voulait nous avoir en exclusivité pour la Porte St-Jean et Chez Gérard. Mais Charlemagne Landry lui avait dit:

— Vos établissements sont peut-être les plus chics à Québec, mais les propriétaires du Coronet ont été les premiers à engager les Jérolas et tant et aussi longtemps que je serai leur gérant, ils se produiront au Coronet.

Et il avait tenu parole.

— C'est bien dommage, je ne puis accepter cela, avait répondu Gérard Thibault.

On connaît la suite! Chaque année, et ce pendant des années, chaque fois que nous avons été à Québec, nous avons rempli la Porte Saint-Jean, Chez Gérard et le Coronet à capacité.

Je dois dire que cette période, malgré quelques «accrochages», a tout de même été pas mal fructueuse pour nous. Je me souviens qu'à Hull, où il y avait un public en majorité anglophone, il y avait un petit balcon en haut de la scène du cabaret où nous travaillions. Souvent, un homme s'y faufilait, accompagné de son fils qui n'était pas d'âge à venir dans les cabarets. Savez-vous qui était ce jeune homme clandestin? Nul autre que Paul Anka.

Au cours de notre carrière, nous avons eu plusieurs surprises du genre. Ainsi, plus tard, alors que nous étions à New York, la célèbre Barbara Streisand s'était déplacée pour venir voir notre spectacle au Blue Angel. C'est ce soir-là, d'ailleurs, que le danseur John Kelly l'avait présentée à un gérant de spectacles en lui conseillant de la prendre dans son «écurie». Le gars avait refusé parce qu'il la trouvait trop «laide». Il doit s'en mordre les pouces aujourd'hui. Moi, à sa place, je pense que j'aurais envie de me suicider chaque fois que j'entends le nom de Streisand. Mais s'il ne croyait pas en elle, il n'aurait probablement rien fait de bon avec elle.

En tout cas, nous faisions notre petit bonhomme de chemin. Je composais sans arrêt et, en 1960, j'ai eu le bonheur de recevoir un beau disque d'or... le rêve de tout artiste. Pas que j'en avais vendu 100 000 copies, mais pour avoir composé les paroles et la musique de *Un tiens vaut mieux que deux tu l'auras,* qui avait été interprété par Yolanda Lisi lors du 4e concours de la chanson canadienne à Radio-Canada. Sur un total de mille huit cents chansons inscrites, la mienne s'était classée cinquième, ce qui n'est pas si mal. J'avoue, sans fausse humilité, que j'étais pas mal fier.

CHAPITRE 5

LA RENCONTRE AVEC MÉO PENCHÉ

Tout marchait assez rondement et, même aujour-
d'hui, il m'arrive d'avoir de la difficulté à me rappeler
certaines dates quand il s'agit d'événements mineurs.
Dans une carrière, on conserve le souvenir surtout des
événements marquants, alors qu'en fait, une carrière,
c'est une mosaïque de petits événements.

Nous étions devenus les «fantaisistes numéro Un du
Canada français». Je n'oublierai jamais la soirée qui
avait été donnée en notre honneur au Stardust pour cou-
ronner notre saison d'été à Radio-Canada. Roger Four-
nier était là, le regretté Laurier Hébert en chaise roulante
et les réalisateurs Jacques Blouin et Jean Bissonnette. Et
devinez qui était le M.C. attitré de la soirée? Nul autre
que Roméo Pérusse, qui avait encore des cheveux sur la
tête et qui était pas mal plus mince qu'aujourd'hui. Deux
groupes fort populaires étaient de la fête: Les Flamingos
et les Garçons de Minuit.

À cette époque, il y a une chanson qui a beaucoup
marqué. Avec *Yakety-Yak,* nous avions... enfin... le

gros «hit» tellement convoité. Nous avions pensé la présenter à Music Hall, mais nous nous sommes dit que c'était peut-être un peu trop vulgaire pour la télévision. C'est Pierre Pétel qui l'avait composée. Mais, un bon matin, je me réveille avec une idée: «Pourquoi ne pas la faire sur disque?» Je téléphone à Charlemagne. Jean a tout de suite été d'accord et, en 1959, nous avons vendu plus de 70 000 copies de cette chanson. Si on compare cela aux chiffres de vente des disques aujourd'hui, c'était beaucoup.

À travers tout ceci, nos différences de personnalité allaient en s'accentuant. J'étais perçu comme un poète, un type réticent, un peu timide, avec un désir évident d'éviter les frictions et cherchant avant tout l'harmonie. De son côté, Jean était frondeur, décidé, blagueur mais ça ne nous a pas empêchés de bien travailler ensemble comme vous le voyez. Nous voulions toujours apporter du matériel nouveau et c'est vers 1959-60 que nous avons retenu les services de Jean Rafa pour la composition de chansons et pour les sketches d'imitations.

Depuis nos débuts ensemble, j'avais toujours tout écrit et je manquais de souffle. Un besoin d'éléments nouveaux se faisait grandement sentir. Il faut dire que nous ajoutions constamment quelques nouveautés et que ça prenait énormément de matériel.

Que Rafa était drôle! Il nous avait composé *La Tarentella del Canada,* qui a marché très fort. Et je n'oublierai jamais la chanson sur l'air de *La Mamma* qui donnait quelque chose comme ceci: «Elle va mourir la Mafia... a...a...» Quand nous chantions cela au Casa Loma, devant des hommes aux chapeaux noirs, nous nous demandions parfois comment il se faisait que nous ne nous faisions pas descendre.

C'est vers cette époque-là que Charlemagne avait eu l'idée de nous faire travailler en smoking blanc. Il avait engagé Henri Salvador dans le passé, pour 1 800 $ par semaine, et il l'avait trouvé excellent. Salvador travaillait toujours en smoking blanc et avait laissé un souvenir impérissable à notre gérant.

L'idée était bonne, mais Charlemagne avait oublié un détail: avec toutes les folies que nous faisions sur scène, surtout Jean qui se roulait par terre dans Méo Penché, entre autres choses, les pantalons blancs étaient souvent plus sales que propres. Sans compter que Jean s'en foutait et les laissait traîner partout.

Ça fait que, bien souvent, Jean portait un pantalon gris fer avec le veston blanc. Je trouvais que ça faisait dur, mais, lui, ça ne le dérangeait pas. Il me disait:

— Porte un pantalon gris, toi aussi; comme ça, on sera pareils.

Mais je n'ai jamais voulu.

Notre *Tour du monde en blagues et en chansons* remportait énormément de succès. Je me souviens qu'à Hull 6 000 personnes étaient venues nous applaudir. Mais je dois dire que Muriel Millard, Richard Verreault, Gilbert Chénier et Paul Guèvremont étaient également là.

Nous étions plus qu'encouragés. Au moment où *Yakety-Yak, rouspète pas* était en première position au palmarès, *Charlie Brown* était bon 11ᵉ et cette chanson allait, elle aussi, connaître un succès fou. Financièrement, ça commençait à aller mieux. Nous étions loin du temps où nous gagnions 68 $ par semaine, de peine et de misère.

En 1958, nous avions tous les deux décidé de nous acheter chacun une voiture. Et nous voilà partis magasiner. Nous avons acheté, au même garage, deux énormes Oldsmobile, de couleur corail. Celle de Jean était peut-être un peu plus luxueuse que la mienne, mais elles étaient identiques.

— Insouciant comme il l'était, vous allez dire que je suis toujours à l'accabler — Jean ne s'est pas trop occupé de sa voiture. Les changements d'huile, par exemple, il s'en souciait peu. Si bien qu'en nous rendant, un jour, faire un spectacle à Victoriaville... pof... le moteur de sa voiture a explosé tout simplement. Il a réussi à se faire payer un nouveau moteur par la compagnie. Il avait le don de toujours s'en tirer, mais il faut dire qu'il avait de la gueule et il savait s'en servir.

À un moment donné nous nous sommes dit que nous devrions faire du sport pour nous garder en forme et avons décidé de jouer au hockey. Je nous vois encore, avec l'équipe du Café Minuit, nous faisant rosser au compte de 33-9 par l'équipe du Casa Loma. Je m'étais moqué de l'arbitre, Yvon Dufour, et ça m'avait valu deux minutes de punition. Quant à Jean, il avait voulu faire son petit Lou Fontinato et il en avait vu des étoiles. Il me semble nous revoir. Jean faisait son cabotin sur la glace et moi je jouais de la guitare dans les coulisses. Mais la publicité avait été bonne pour notre disque intitulé *La chanson du hockey.*

La tournée des clubs se poursuivait... comme une véritable ronde infernale. De bons éclairages, de mauvais éclairages... de bons musiciens... de mauvais musiciens... ça faisait partie du jeu... Aujourd'hui, pas un artiste ne voudrait travailler dans des conditions pareilles.

Mais, parfois, nous étions gâtés. Ainsi, à Québec, une fois, Paul de Margerie, le regretté Paul de Margerie, nous avait accompagnés. C'était un véritable génie ce gars-là. En fait, il avait été l'accompagnateur attitré de Charles Trenet. Paul avait un talent fou. Ainsi, quand Trenet chantait *La mer,* il y allait avec des mélodies comme accompagnement, mais qui arrivaient avec les mêmes accords que ceux de *La mer*. Les gens l'applaudissaient plus que Trenet, ce que ce dernier n'aimait pas du tout. Quand j'ai appris son décès, j'en ai été atterré.

Il y eut également Léon Bernier, l'excellent Léon, qui est le premier à m'avoir donné le goût de l'aviation. Qu'il était sympathique ce gars-là! Il avait toujours l'air de ne rien voir derrière ses épaisses lunettes. Mais, c'est drôle, quand il y avait des p'tites jeunes filles dans la salle... il voyait toujours très clair. Mais, en ce qui concerne la qualité de la musique, le meilleur, je pense, ça a été au Casa Loma. On aurait dit un orchestre symphonique.

Il nous en est arrivé de toutes les sortes, je vous le jure. Les gens nous suivaient de près, surtout dans les petites villes où il était facile de nous reconnaître. Ils savaient tout ce qui se passait, même dans les coulisses. On disait: «Les Jérolas jouent au pool puis aux quilles. Il y en a un qui est plus *gambler* et plus playboy que l'autre. Inutile de dire duquel ils parlaient.

Remarquez que je ne veux pas jouer au petit saint. Il m'est même arrivé de poser un geste, une fois, qui aurait pu compromettre mon futur mariage avec Lisette. Ça se passait à Lac-à-la-Tortue. Après le spectacle, Jean, comme d'habitude, jasait avec des amis. Moi, ordinairement, je montais directement à ma chambre pour y déposer ma guitare. Tout à coup, j'entends «Toc, toc, toc» à ma porte.

— Qui est là?

Et j'entends la voix d'un des waiters qui me dit:

— Marilyn veut te parler.

— Marilyn qui?

— Ouvre la porte et tu vas voir.

J'ouvre la porte, un peu méfiant, un peu ennuyé de me faire déranger, et j'aperçois une fille aussi bien tournée que la vraie Marilyn. Sur ces entrefaites, deux gars s'emmènent devant la porte et l'un des deux me dit:

— C'est bon en sacrement vot' show. Est-ce que Jean est icitte?

— Non, il est dans la salle.

— Bon, alors, Marilyn, fais-nous donc un p'tit show.

Étonné, j'ai demandé:

— Elle fait des shows Marilyn?

— Ouais, et tu devrais voir comment elle est roulée. Envoye, Marilyn, fais-nous un p'tit show.

La fille hésitait. Elle a fini par répondre:

— Pas devant vous trois, tout de même.

J'étais seul, j'avais le vague à l'âme et... ça fait que j'ai renvoyé les gars et que j'ai passé la nuit avec Marilyn.

La vie de club... courailler... prendre un coup... les remords le lendemain matin. Je connaissais cela à mon tour. Le lendemain, je devais aller chercher Lisette, celle que j'aimais vraiment. Elle devait venir nous rejoindre pour les derniers jours de notre engagement.

Je ne savais comment me comporter. J'étais certain que, en me voyant, elle saurait tout de suite. Je n'osais la regarder dans les yeux. Ce qu'on est mal quand on se sent coupable. Finalement, je n'en pouvais plus et j'avais l'impression de me trahir par mon comportement. Je n'arrêtais pas de lui dire que je l'aimais mais, à la fin de la journée, je lui ai tout avoué.

Ce fut dur, comme une douche froide. Lisette qui avait toujours un si beau sourire est, tout à coup, devenue toute triste. Je n'oublierai jamais l'expression de son visage à ce moment-là. Ce que je pouvais me détester... je souffrais sûrement plus qu'elle. Mais cette femme-là est tout simplement extraordinaire. Tout à coup, elle me regarde droit dans les yeux et me dit:

— Maintenant je sais que tu m'aimes vraiment. Sinon, tu ne m'aurais jamais avoué cela.

Avouez qu'elle était plus que compréhensive. Cet incident, qui aurait pu nous séparer, nous a rapprochés plus que jamais.

Plus tard, nous étions encore à Lac-à-la-Tortue et je dormais d'un sommeil très profond quand ça frappe à ma porte. Réveillé en sursaut, je regarde l'heure. Il était 5 heures du matin. Tout endormi, je me frotte les yeux en grognant:

— Qu'est-ce que c'est? Je commence à me lever. Rassurez-vous, ce n'était pas Marilyn.

J'entends la voix de Jean qui me dit:

— Habille-toi, et descends vite en bas. Il faut que tu viennes voir ça. Il y a un gars dans la taverne qui est drôle, mais drôle c'est pas possible. Saute vite dans tes culottes.

Et derrière Jean, j'entendais d'autres voix qui criaient, elles aussi:

— Viens vite!

— O.K. je m'habille et je m'en vas vous retrouver dans cinq minutes.

J'arrive en bas, encore pas mal endormi, et je me dirige vers le coin où les gars en boisson faisaient le plus de bruit. Au beau milieu du groupe, il y avait un grand énergumène qui criait:

— Y'a ti quequ'un icitte? Y'a ti quequ'un icitte?

— Viens, Jérôme, je vais te présenter Méo Penché.

Moi, je regarde tout ce monde pas mal éméché et je trouve que le gars avait l'air pas mal niaiseux. Et dire que c'est pour cela qu'ils m'ont réveillé. De dépit, j'ai commandé une bière, puis une deuxième, une troisième. À la quatrième, je trouvais moi aussi, que Méo Penché était pas mal drôle.

Après, je ne me souviens plus très bien. Je suis probablement allé manger et dormir mais, malgré tout, Jean et moi étions un peu pompettes pour exécuter nos deux spectacles. Nous nous en sommes tout de même bien tirés. D'ailleurs, il m'arrivait à moi aussi de prendre un verre, mais je ne perdais jamais le contrôle.

Ce soir-là, Méo Penché était dans la salle. À tout moment, il se levait, nous interrompait et criait: «Y'a ti quequ'un icitte?» Finalement, nous avons terminé notre show en nous servant de lui comme tête de turc. L'improvisation était à l'honneur ce soir-là. Tout le monde connaît la suite. Tout cela pour vous dire que nous puisions notre inspiration dans les faits de la vie quotidienne.

C'est ainsi que nos spectacles avaient cette qualité «vraie» que le public savait discerner. Nous ne jouions pas sur une scène, nous «vivions», nous improvisions, rien n'était stéréotypé ou mécanisé dans nos spectacles.

C'était tout de même une drôle de vie. Je n'avais pas tellement d'entregent, je l'admets, et je ne puis dire que ça me plaisait beaucoup d'aller m'asseoir avec les clients dans la salle, dans le bruit et la fumée. C'est peut-être ce qui explique que l'alcool m'a moins brisé que Jean. Forcément, comme j'étais plus distant, je consommais moins. Mais ça créait des situations tendues parfois.

Ainsi, quand nous montions sur scène, il s'en était envoyé plusieurs derrière la cravate et il était pas mal «stimulé». Moi, étant sobre, je devenais plate pour lui, et il est évident que nous n'étions plus sur la même longueur d'ondes. Il était tout de même assez intelligent pour s'en apercevoir. C'est ainsi qu'il eut un jour une idée géniale. Il me dit:

— Viens dans ta loge, tu vas voir, j'ai eu une bonne idée.

En entrant dans ma loge, j'aperçois, bien en évidence, deux bouteilles de bière posées en face du miroir.

— Qu'est-ce que ça fait là?

— Ben, il fait chaud; j'ai pensé que ça te ferait du bien d'en prendre un peu.

Je n'avais pas l'intention de les boire, mais c'est vrai qu'il faisait chaud. Et j'avais compris l'intention de Jean. Il voulait que j'en boive pour me mettre à son diapason. Finalement, après le premier show, j'en ai bu. Et l'idée n'était pas bête. Par la suite, entre les shows, j'en prenais un peu et, comme cela, en général, au deuxième et surtout au troisième spectacle, nous étions à peu près au même niveau.

Je n'essaie d'ailleurs pas de passer pour ce que je ne suis pas. Il m'est arrivé, à moi aussi, de prendre un coup solide. Mais, même quand j'étais pas mal «rond», j'avais l'air d'un prêtre à jeun à côté de Jean qui lui en prenait royalement. Quand je sentais que j'avais trop bu d'ailleurs, je me bourrais de biscuits sodas pour me dégriser un peu, au moins.

Mais, je me posais des questions, c'est certain. Je pense que tous les gens qui ont été en contact avec des alcooliques se les posent. Je me disais: «C'est une question de volonté. Quand on veut, on peut.» Mais il semblerait que ce ne soit pas une question de volonté personnelle, justement. En fait, des fois, Jean était tellement dégoûté. Il se rendait compte qu'il faisait des gaffes. Il donnait des coups de poings dans les murs et s'écriait: «Maudite boisson.» Mais il ne semblait pas être capable de s'arrêter.

Heureusement que j'écrivais des chansons. Sinon, je me demande bien ce que j'aurais fait de mon temps, assis tout seul dans ma loge. C'est ainsi que des chansons comme *Signe ton chèque, Cola Café, Es-tu content?*, etc. ont vu le jour. Dans une petite loge toute sale et enfumée. Je travaillais également sur de nouvelles idées et j'ai mis au point des numéros comme *Musique en rêve, Les journalistes, L'imitateur, Le tribunal des vedettes* et *Saint-Pierre et Satan*. Je trouvais les idées, je structurais le tout et, ensuite, Jean et moi nous solidifiions tout cela. Il ajoutait surtout la spontanéité et l'improvisation. Autrement dit, je faisais le squelette et nous mettions de la chair dessus.

Nous évitions de trop répéter un numéro pour que ça ne devienne pas trop froid, trop mécanique, comme je le disais précédemment. C'est sur scène, avec l'apport et les réactions du public, que nous complétions. Le tout se faisait à la bonne franquette et les gens se tordaient de rire car ils ne savaient jamais à quoi s'attendre avec nous. Même les maîtres de cérémonie se demandaient parfois ce que nous allions leur sortir.

Je me souviens encore de Paolo Noël. Il parlait... il parlait... il n'arrêtait pas. Et il avait tout un caractère. Des fois, pendant que nous faisions notre show, nous entendions des verres r'voler dans les loges. C'était Paolo qui faisait une crise de rage. Mais pas rancunier pour deux sous. Cinq minutes après, tout était oublié et il avait le sourire.

Il y avait également Roger Doucet, qui n'avait pas trop de travail à ce moment-là. Il poussait une sorte de cri strident: «Ah...» pour se débloquer les cordes vocales ce qui faisait sursauter tout le monde. Par la suite, j'ai pris l'habitude de faire comme lui. Suzanne Lapointe commençait à se faire connaître. Elle riait tout le temps... sa bonne humeur faisait le bonheur de tout le monde. Monique Saintonge commençait également à présenter ses chansons, ainsi que Janine Gingras. Gaby Laplante, une des rares femmes à faire des imitations, remportait beaucoup de succès, et la Tyrolienne, Janine Lévesque, travaillait souvent comme maîtresse de cérémonie. Elle m'avait beaucoup aidé après le départ de Ray.

Dans le temps, les propriétaires de club calculaient les assistances et il s'agissait de battre les records. Mais quand Johnny Rougeau avait eu l'idée de nous présenter en grande vedette au Mocambo avec Ti-Gus et Ti-Mousse, ça avait été la folie, on refusait du monde. Pourtant, le Mocambo était le plus grand club de Montréal. Ça n'avait pas été un contrat facile à négocier, d'ailleurs.

Nous ne voulions pas passer après les gags de Ti-Gus et de Ti-Mousse, et si nous passions avant, nous n'étions plus les vedettes. Mais quand Rougeau voulait quelque chose...

C'était l'époque où Norman Knight faisait se pâmer les filles et, simultanément une «relève» moins américanisée commençait à faire parler d'elle. Je n'oublierai jamais la toute première fois que j'ai vu Gilles Vigneault. Il présentait son spectacle à la Porte Blanche, en haut de la Porte Saint-Jean. En le regardant, je me disais: «Mais il est tout simplement fascinant. Regardez-moi ces gestes. Et puis cette voix.» Vigneault avait chanté *Jack Monnolloy* et j'étais emballé. Les gens n'y croyaient pas, pourtant. On disait: «Il serait mieux de rester professeur de mathématiques à l'Université Laval. Il y avait également les Scribes avec Jean Morin, et ils étaient drôles eux aussi.

Entretemps, nous continuions de fignoler nos imitations et d'ajouter constamment à notre répertoire. Nous adorions nous moquer du maître de cérémonie et nous en faisions, en règle générale, une imitation assez cruelle. Ça faisait toujours un effet «bœuf» dans la salle. Nous avions même été jusqu'à imiter la voix du camelot qui criait en face du Casa Loma: «Montréal-Matin, achetez le Montréal-Matin.» Sa voix ressemblait à celle de Mad Dog Vachon.

Ce que les gens aimaient le plus, je crois, c'étaient nos imitations des politiciens. Il suffisait qu'un client dans la salle lance un nom connu et, immédiatement, Jean en faisait une hallucinante imitation. Il était toujours vivement applaudi. Et il arrivait à faire tout cela, à brûle-pourpoint, à une minute d'avis seulement. Et nous ajoutions constamment à nos imitations. Il y a eu André Lejeune, Yves Montand, Pat Boone, le Père Gédéon, Ed Sullivan et, malgré tout, l'imitation que Jean faisait de Félix Leclerc était la meilleure, selon moi. Quant à moi, je me débrouillais pas mal en Gilles Vigneault, m'a-t-on dit.

L'imitation de Jen Roger était toujours très applaudie. Jean et moi «l'avions» assez bien et, un soir, que Jen était M.C., nous l'avons imité à tour de rôle. Ça faisait trois Jen Roger sur la scène, les gens hurlaient de rire dans la salle, et Jen plus que tout le monde. Quand il chantait, nous disions:

«Il l'a moins bien que nous autres. Et le «punch», le clou du spectacle a été, pendant longtemps, le *Don't be cruel!* d'Elvis Presley que Jean rendait très réaliste, mais en beaucoup plus fou. Il avait des déhanchements incroyables pendant que je jouais de la guitare et les gens adoraient cela. Je dois dire que nous avions autant de plaisir à travailler que les gens en avaient à nous regarder.

CHAPITRE 6

LE «ED SULLIVAN SHOW»

Un de mes bons souvenirs c'est celui de notre tout premier microsillon: *Les Jérolas sont là*. Ce fut très populaire, plus de 25 000 copies vendues, et je pense que c'était la toute première fois qu'on enregistrait un disque «live» au Québec. Je ne pourrais le jurer cependant.

Cette même année, nous avons travaillé au Café de l'Est et je vous avoue que j'ai la nostalgie de ces énormes boîtes de l'époque. Au Café de l'Est, un voyeur avait percé un trou dans le mur qui donnait dans la loge des danseuses. Gilles Morneau, Jean et moi, nous nous rincions l'œil, je ne m'en cache pas. En fait, plus souvent qu'autrement, le show était meilleur dans les loges que sur la scène. Pendant longtemps, le patron s'est demandé pourquoi les artistes manquaient si souvent leur entrée en scène.

Cette semaine au Café de l'Est fut particulièrement difficile. Jean ne semblait pas en forme du tout, il coupait court à certaines imitations et refusait même de faire certains numéros. Le spectacle terminé, il ne prenait pas le temps de se démaquiller et disparaissait en vitesse avec des gars que je ne connaissais pas.

J'ai finalement découvert le pot aux roses. Notre semaine terminée, je me présente au gérant de l'établissement pour lui réclamer notre dû. Je prélevais la commission pour notre gérant et, après, je partageais moitié-moitié avec Jean. Parfois, il nous arrivait de demander des avances. Ça arrivait plus souvent à Jean qu'à moi. Et là, j'ai compris pourquoi Jean était parti si rapidement sans attendre sa paye. Il n'en restait plus, tellement il avait demandé des avances.

Et ce n'était pas tout. Je me dirige vers la sortie pour apercevoir trois taupins qui en bloquaient le passage.

— Jean Lapointe nous doit 300 $ et il nous a dit que tu avais sa paye.

— Je regrette, je n'ai pas d'argent pour vous, je ne vous dois rien.

— Aye! conte-nous pas de romance, on veut être payés.

Les gars avaient une mine rébarbative qui était loin d'être rassurante. Ils ont commencé à me bousculer:

— Envoye, donne-nous l'argent.

Là, je me suis pris un air de quelqu'un qui n'a pas froid aux yeux et je leur ai dit:

— Écoutez donc, vous autres, c'est qui qui vous doit de l'argent?

— Ben, c'est Jean Lapointe.

— Alors allez donc le voir et laissez-moi tranquille.

Sur ces entrefaites, le gérant de la place, par miracle, a ouvert la porte et il a crié aux gars de me ficher la paix. N'eût été son intervention, je pense qu'on m'aurait passé à tabac. Mais Jean savait-il cela? Il était tellement insouciant.

Je dois dire, en revanche, que Jean avait beaucoup d'amis et qu'il avait également un cœur d'or. Ainsi, quand nous partions travailler à l'extérieur, s'il voyait un gars faire du pouce, il disait toujours: «Arrête, on va lui donner un *lift*.» Et nous venions de nous faire un nouvel ami.

Jean avait également le génie de savoir intervenir avec beaucoup de finesse dans les situations difficiles. Un soir, dans un cabaret, un client était dans un état d'ébriété avancé. Il parlait fort, dérangeait tout le monde, le maître d'hôtel l'avait averti mais il n'y avait rien à faire.

Autour de ce client tapageur, les gens commençaient à s'impatienter. La direction s'apprêtait à avoir recours à l'opération «catastrophe», c'est-à-dire expulser de force le trouble-fête. Ça, ça n'est jamais bon pour l'atmosphère d'un club, ça dérange un spectacle pas pour rire, et ça «refroidit» l'auditoire.

Jean, voyait tout cela de la scène. Soudainement, il arrête le show et dit:

— Laissez-le, je le connais bien, c'est mon ami.

Jean n'avait jamais vu ce gars-là de sa vie. Il descend dans la salle, se faufile entre les tables et tape sur l'épaule du fêtard en disant:

— Je m'en allais justement à la taverne d'en face prendre un verre. Viens, on va aller prendre un coup ensemble.

Le type, titubant, s'accroche à Jean et il le suit jusqu'à l'extérieur sans dire un mot. Et, tout bonnement, Jean est revenu dans le club, il est remonté sur la scène pendant que les gens applaudissaient à tout rompre. Moi aussi, j'applaudissais. Ça, c'était du Jean Lapointe à son mieux.

En 1962, nous avons beaucoup aimé travailler dans des séries à la télévision. Il s'agissait de *En scène les Jérolas* avec Monique Leyrac et Claude Michaud et de *Tout le monde joue*. Je dois dire que travailler devant des caméras, c'était tout de même autre chose que travailler devant un public de cabaret. Au début, nous étions d'une nervosité extrême, nous étions un peu «rigides» mais le trac a tout de même fini par diminuer un peu. Et puis... Monique avait tellement de charme et de talent. Nous avions adapté notre matériel, car certaines de nos histoires étaient pas mal salées. Je n'oublierai jamais la fois que nous avions travaillé avec Jean Duceppe. Quel comédien... quel homme de métier!

Nous étions ravis de faire de la télé d'une façon régulière. Ça mettait une autre corde à notre arc. Nous étions déjà familiers avec la radio car, en 1961, nous avions été présentés à CKAC. Mais 1962 a réellement été une année marquante pour nous. Une année qui laissait présager de plus grandes choses à venir.

Entretemps, la chanson Méo Penché avait fait son chemin. Ici elle avait connu un succès fou; elle avait été éditée en France par Michel Legrand, enregistrée par Marcel Aumont, et traduite en anglais aux E.U. Peu de Québécois ont eu la chance de voir les portes des États-Unis et de la France s'ouvrir devant eux en même temps.

Nos imitations continuaient de remporter un grand succès. Je pense que l'un des types les plus faciles à imiter, c'était Michel Louvain. Nous avions plus de soixante imitations; il y en avait pour tous les goûts et toutes les occasions.

Nous continuions à travailler ferme et, un bon jour, avant de quitter le Coronet de Québec, je décide de téléphoner à Charlemagne Landry pour savoir ce qu'il y avait comme engagements à venir. Il me donne une couple de rendez-vous et me dit d'un ton faussement détaché:

— J'ai oublié de te dire, Ed Sullivan veut vous avoir pour son show...

Moi, je ne l'ai pas pris au sérieux une seconde. Le Ed Sullivan show, c'était le spectacle de variétés le plus prestigieux en Amérique du Nord.

— Dis-lui donc qu'on est pas mal occupés, mais qu'on va y penser.

— Voyons, Jérôme, je te dis que Sullivan veut vous avoir.

— Aye, arrête donc, Charlemagne.

— Bon, écoute-moi bien. Ils vont communiquer avec vous autres à Québec pour les détails, la date, le matériel, etc. O.K.?

Alors là, j'ai compris que Charlemagne disait vrai et je suis passé par toute la gamme des émotions. Sacré Charlemagne, va! Nous étions dans tous nos états. De son côté, Jean a reçu un appel de Bob Prech, le réalisateur de l'émission. La conversation a eu lieu en anglais. Voici ce que Monsieur Prech a demandé à Jean:

— Nous diffusons en direct de Toronto le 27 avril prochain (nous sommes en 1963). Pouvez-vous vous libérer pour participer? Êtes-vous intéressés?»

Étions-nous intéressés? Jean se frottait les yeux comme un gars qui ne peut croire qu'il est parfaitement réveillé. Il a pensé que quelqu'un voulait nous jouer un mauvais tour pour nous faire annuler notre contrat au Coronet. Il a donc rappelé Monsieur Prech et c'était bien vrai.

Quelle histoire... quel contrat! Nous autres, les petits Québécois invités au Ed Sullivan Show? Pas possible! Le cœur battant, nous nous sommes rendus au O'Keefe Center, à Toronto, une journée avant l'enregistrement. Nous devions faire une répétition-audition. Je dois dire que tout le monde fut extrêmement gentil. On a tout fait pour nous mettre à l'aise.

Imaginez, nous étions en compagnie de Wayne & Shuster, de Jack Carter, de Xavier Cugat et Abby Lane, de Connie Francis et de Monsieur Sullivan lui-même, un homme très chaleureux et sympathique.

Voyant notre extrême nervosité, juste avant que nous entrions en scène, Monsieur Sullivan nous avait dit:

— *You are going to make a hit... sure... sure. You are going to make a hit.*

Il était très paternel avec les jeunes artistes et ça nous avait rassurés un peu.

Nous avions décidé de faire une imitation de Ed Sullivan lui-même, en train de présenter divers chanteurs américains que nous imitions également. The Four Aces, The Mills Brothers, etc. Nous pensions, avec raison, qu'il était préférable de choisir des vedettes connues des Américains et des anglophones.

Ces gens-là travaillaient en véritables professionnels, je vous l'assure. Dans l'après-midi, durant les répétitions, on nous avait bien prévenus de ne répéter que les chansons avec l'orchestre, mais sans gestes ou mimiques. Nous n'avions pas très bien compris pourquoi. Mais durant l'émission, nous en avons saisi la raison.

Les membres de l'orchestre n'avaient jamais vu notre numéro. Et pendant que nous le faisions, les rires fusaient, ce qui nous a stimulés et rendus encore meilleurs, j'en suis certain. Nous passions tout de suite après Connie Francis et cette émission a été reprise sur les ondes des postes américains au cours du mois de septembre qui a suivi. À la suite de cette apparition à la télé, nous avons reçu beaucoup de lettres d'admirateurs américains qui voulaient en savoir davantage sur nous.

Cette expérience nous ayant quelque peu émotionnés et énervés, nous avons décidé, au retour, de prendre un peu de repos. Il est vrai que nous ne prenions pas de vacances tellement souvent. Entre deux engagements, il nous arrivait d'aller faire un saut à Miami en compagnie de nos épouses respectives. Mais moi, comme j'ai toujours aimé le bois, nous avons décidé d'y aller pour nous remettre les nerfs en place.

Charlemagne Landry nous accompagnait. Un avion nous a déposés à Saint-Michel-des-Saints et nous avons été à la pêche à la truite. Pour faire son drôle, Jean se passait les vers dans la bouche... Je me préparais également a aller à la chasse à l'orignal, quelques semaines plus tard, dans le bout de Labelle.

Évidemment, notre passage au Ed Sullivan Show n'était pas passé inaperçu. La presse locale, en particulier, s'en était donné à cœur joie. Tout nos moindres faits et gestes étaient scrutés à la loupe. Nous étions non seulement des vedettes mais des «stars». Même Jean Morin y était allé de ses commentaires en disant que Charlemagne Landry c'était le genre de gérant qui savait bien s'occuper de ses artistes.

Le statut de vedette, ça a du bon. Ainsi, nous avions été invités à signer le Livre d'or de Ville d'Anjou en compagnie de personnages tout de même pas mal illustres, Annie Cordy et Luis Mariano. Tout cela s'étant fait après un grand tournoi de pétanque, il est donc inutile de mantionner le fait que Jean Rafa était là.

Certains se demandent encore comment Charlemagne avait fait pour nous décrocher un engagement à un spectacle aussi prestigieux que celui d'Ed Sullivan: Ce n'était pourtant pas bien sorcier.

Il avait tout simplement envoyé au producteur du Ed Sullivan Show un kiné de nous... sur scène... et en anglais, qui avait été fait lors de nos spectacles au canal 6.

À ma connaissance, il n'y a eu que nous, parmi les Québécois, qui ont participé au Ed Sullivan Show, mais il serait possible que Jeanne d'Arc Charlebois y ait également participé. Mais une chose que je sais pertinemment, et qui m'amuse, c'est que certains artistes d'ici (que je préfère ne pas nommer) avaient fait préparer des montages photographiques d'eux avec Ed Sullivan pour montrer qu'ils y étaient allés eux aussi. Quand on est obligé d'avoir recours à de tels subterfuges, c'est qu'on en a encore à apprendre, je crois. D'ailleurs, ces «artistes» sont disparus de la carte.

Je dois faire une parenthèse ici pour dire que je n'ai pas été le seul de ma famille à être en vedette. Ma sœur Jacqueline, chantait fort bien également. En fait, peu de temps après notre passage à Ed Sullivan, la grande revue française *Music hall* lui consacrait tout un article, fort élogieux, dans lequel on pouvait lire: «Une voix d'or qui chante avec enthousiasme la joie de vivre et les bienfaits de la Providence...» Mais Jacqueline était, avant tout, une authentique missionnaire Oblate de Marie Immaculée. Elle disait elle-même qu'elle était le «Troubadour du Bon Dieu». Serge Brousseau lui avait également consacré pas mal d'espace dans un journal local.

Après les gros triomphes, il y a toujours toutes sortes de retombées. Ainsi, une chose m'avait fait bien plaisir:

Ginette Sage elle-même nous avait consacré un article dans lequel elle écrivait: Ça m'a fait chaud au cœur de les voir et j'avais presque les larmes aux yeux quand j'entendis les applaudissements de la foule. C'était extraordinaire, ils ont volé la vedette.

Les commentaires allaient bon train. Allions-nous, ou pas, devenir des vedettes américaines? Normalement, un passage au Ed Sullivan Show suffisait pour ouvrir toutes les portes.

Pierre Trudel avait même prédit: «Les Jérolas marchent actuellement sur un sentier qui les conduira probablement à une renommée quasi internationale. Ils franchiraient alors les frontières de la gloire qui séparent le Québec des États-Unis.»

En fait, les paris étaient ouverts. Irions-nous nous joindre à la troupe de Connie Francis ou à celle de Red Skelton? Mais, pour une raison que j'ignore encore, rien ne s'est réellement matérialisé de toute cette histoire. Pourquoi? Je me le demande encore parfois. Avoir été si proche... toutes les portes étaient ouvertes... Que s'est-il passé? Tout ce que je puis dire, c'est qu'il est fort probable que notre gérant n'a peut-être pas su exploiter l'avantage que nous avions à ce moment-là. Charlemagne était génial au Québec, mais il n'avait probablement pas les contacts voulus aux E.-U. Je reste tout de même persuadé que si nous avions le talent voulu pour passer au Ed Sullivan Show, nous avions tout ce qu'il fallait pour devenir des grandes vedettes américaines. C'est réellement dommage et ça me donne parfois un peu d'amertume d'y penser... avoir été si proches....

En tout cas, cette participation ne nous avait pas nui sur la scène locale, c'est certain. Les retombées publicitaires ont été excellentes. Nous commandions alors un salaire qui allait chercher dans les 40 000 $. En commerciaux seulement. Ce n'était pas à dédaigner. Nous avions un fan club, mais je serais incapable de vous dire combien il y avait de membres. Des milliers de photos avaient été distribuées.

CHAPITRE 7

LA COMÉDIE-CANADIENNE

Est-ce qu'il me reste des souvenirs de cette brève «heure de gloire»? Oui, bien sûr. Par la suite, Charlemagne, qui voyait tout de même grand, nous avait engagé un scripteur, un chorégraphe et un arrangeur musical américain. Tout cela avait coûté une petite fortune: les billets d'avion, l'hôtel, les salles de répétitions à New York où nous nous rendions souvent... rien n'a été épargné.

Bill Gamie, notre scripteur, avait traduit en anglais la chanson *Signe ton chèque,* et ça donnait un texte très drôle. En fait, par la suite, j'ai retraduit sa version en français. Quant à notre chorégraphe, il s'agissait de nul autre que Bill Foster dont le nom est apparu souvent au générique de plusieurs importantes comédies musicales d'Hollywood.

Ce fut une expérience incroyable que de travailler avec des gens d'une telle valeur. En fait, personne ne m'a jamais autant impressionné que Bill Foster. Quant à notre arrangeur musical, ce n'était pas un va-nu-pieds. Mort Lidsay était chef d'orchestre et directeur musical.

On peut même lire son nom sur certaines pochettes des disques de Judy Garland.

Nous avons réellement raffiné nos spectacles, grâce à tout cela, et l'argent investi n'a pas été perdu puisque nos shows s'en sont trouvés améliorés.

Mais nous n'étions pas assez sophistiqués pour ce monde américain. Je me rappelle encore, avec un pincement au cœur, la fois que nous avions réussi à obtenir une audition dans une grande agence théâtrale de New York. Charlemagne, pour l'occasion, nous avait fait porter des smokings, en plein après-midi. De plus, Jean souffrait d'un *hang over,* il avait une gueule de bois épouvantable et, en fait, nous avions eu l'air «Habitants» et ridicules. Inutile de vous dire que nous n'avons pas obtenu de contrat à cette agence.

À l'époque, il faut avouer que le problème de l'alcool chez Jean empirait sérieusement. Je pense qu'il a atteint le sommet vers la fin de 1963 et durant une partie de 1964. Ça aussi, ça ne nous a pas aidés dans nos démarches en vue d'une carrière internationale.

Ainsi, une fois, Jean avait bu et joué toute la nuit et il voulait s'en retourner chez lui en voiture. Charlemagne était avec lui et il lui répétait:

Jean, tu n'es pas en état de conduire.

Ce genre de chose se produisait souvent. Il m'était même souvent arrivé de lui voler ses clés, car nous craignions le pire. Finalement, le pire est quand même arrivé. C'était en octobre 1964 et il n'avait pratiquement pas dessoûlé de l'année. Selon des témoins de l'accident, Jean filait sur le boulevard Saint-Joseph, à toute allure, en direction de l'est et, à l'angle de la rue de La Roche... la tragédie. Il y avait trois automobiles d'impliquées dans cet accident. J'ai été inquiet, peiné, bouleversé et malheureux quand j'en ai été informé... mais je n'ai nullement été surpris.

Jean était passé à un cheveu de la mort. Il a été hospitalisé aux soins intensifs on a bien failli le perdre. Il avait même été administré tellement il était amoché. Il avait eu un violent choc à l'abdomen et les chirurgiens avaient dû effectuer quelque 52 points de suture à la tête. Le 12 décembre, il sortait faible, pâle et amaigri de l'hôpital. J'avais été le chercher et j'avais pu constater qu'il n'avait rien perdu de son sens de l'humour. J'étais bien content de le revoir sur pieds. Nous allions pouvoir continuer à travailler. Et Jean n'avait pas perdu le goût du show business, c'était clair.

Évidemment, il fallait voir aux dégâts matériels à la suite de cet accident, mais le frère de Jean, Me Gabriel Lapointe, qui était procureur en chef de la Couronne sous Wagner, a beaucoup aidé. Me Landry s'est également impliqué dans cette affaire. Les deux avocats ont essayé, dans le but de lui donner une leçon, de lui faire enlever son permis de conduire pour une période de cinq ans. Ils voulaient le protéger contre lui-même.

Mais le maximum prévu étant de trois ans, Jean s'est tout de même retrouvé sans voiture pour ce laps de temps. Je venais d'hériter d'un passager. Je m'étais dit que cet accident, c'était peut-être un mal pour un bien. Sûrement que, maintenant, il allait arrêter de boire. Mais je m'étais trompé. Après quelques semaines de convalescence, Jean est retombé dans son péché mignon. Nous avons travaillé chez Fernand Gignac et ça a été pas mal difficile. Il s'en prenait aux clients en plein spectacle. La situation se détériorait, quoi. Quand ça gueulait trop, je coupais le volume au micro, les gens applaudissaient pour enterrer les voix, l'orchestre jouait plus fort et nous arrivions à enchaîner.

Malgré mes efforts pour tout camoufler, Fernand Gignac se plaignait, et avec raison. La qualité des spectacle laissait réellement à désirer. Les choses empiraient. À la fin de la semaine, nous étions passés au bureau et Fernand, en calculant notre dû, nous avait fait remarquer qu'il y avait une note de 80 $ de boisson. Jean avait accumulé cette somme durant la semaine. Moi aussi j'avais consommé, mais je payais au fur et à mesure.

Et je dois dire que, ce soir-là, j'avais trouvé que Fernand Gignac et Jean étaient des gars «corrects». Voici ce qui s'était passé. Fernand Gignac avait dit à Jean:

— Ne t'en fais pas pour les 80 $, je t'en fais cadeau.

Jean l'a regardé bouche bée. Il était sobre ce jour-là. Puis il a retorqué:

— Je ne sais comment vous remercier, mais ce n'est pas juste pour Jérôme qui, lui, a souffert de mes gaffes toute la semaine.

Et mettant la main dans ses poches, il en tire 40 $ qu'il me donne:

— Tiens, Jérôme, voilà la moitié du cadeau de Monsieur Gignac. Tu y as droit toi aussi.

Fernand Gignac m'avait pas mal impressionné. Il tenait à ce qu'il y ait de l'ordre dans sa boîte et quand il y en avait qui se montraient par trop bruyants il n'avait pas peur de leur dire, en les regardant droit dans les yeux: «Fermez vos gueules... même si je suis plus petits que vous autres, je suis capable de vous sortir.»

J'avais souvent le moral bien bas et je me demandais bien où tout cela allait nous mener quand, quelques jours plus tard, Jean sonne à ma porte.

— Salut!

— Salut!

— Tu ne me croiras pas, mais je ne bois plus. Ça fait deux jours que je n'ai pas touché à une seule goutte de boisson. J'ai rencontré des gens qui font partie d'une Association Anonyme et ils m'aident à rester sobre.

Il a bien vu, à mon attitude, que je ne croyais pas un seul mot de ce qu'il disait.

— Si, dans deux semaines, je n'ai pas bu une seule goutte, vas-tu me croire?

— Si tu me dis la vérité, Jean, je serai le premier a en être heureux pour toi, tu le sais bien.

Et croyez-le ou non, mais un véritable miracle venait de se produire.

Jean a tenu le coup. Il me disait que j'étais devenu plus «fin» que sa femme était devenue plus «fine», ses enfants également, bref tout allait mieux.

Du coup, j'avais le cœur à l'ouvrage. Il était excellent dans les spectacles, plus lucide. Tout marchait sur des roulettes. Je me souviens d'être allé à une réunion avec lui et ça m'avait impressionné. Tous ces gens qui souriaient, qui avaient l'air si heureux. En tout cas, Jean était un homme nouveau. Malgré le fait que nos goûts différaient, nous faisions des concessions, nous partagions plus de choses. Il n'y avait plus ce mur de l'alcool qui se dressait entre nous.

Moi j'avais mis pas mal d'eau dans mon vin et Jean disait en plaisantant: «Je ne mets plus de vin dans mon eau.» Il adorait jouer au golf et il s'est improvisé mon professeur. Pour me faire plaisir, il m'a accompagné souvent à la pêche, et une fois à la chasse dans un petit avion. Pauvre Jean, il avait fait une crise de claustrophobie et nous avions dû rebrousser chemin car il risquait de s'évanouir. C'était la première fois que ce malaise se manifestait, mais pas la dernière.

Quand il buvait, auparavant, ça ne l'avait jamais dérangé de prendre l'avion. Mais depuis qu'il était abstinent, il n'en était pas question. Il avait réellement peur. Ça me rappelle la fois que nous devions aller à la chasse à Anticosti et que nous avions accepté un engagement à Sept-Iles pour deux jours. Mais Jean, à cause de sa peur en avion, était resté à Sept-Iles pour m'attendre. Je devais rentrer le lendemain, mais la mauvaise température s'est installée et j'ai été obligé d'emprunter le bateau, l'autobus et le taxi pour revenir via la Gaspésie. En me voyant arriver tout piteux et crevé, Jean n'a dit qu'un mot: «Anticosti!» (En ti cas stie)

Peu après, un soir, j'avais pris un copieux repas avec un bon vin et tout le tra la la. Après le souper, je décide de faire une petite sieste sur le divan, histoire de digérer un peu. Mais une demi-heure plus tard, ma femme me réveille... il est temps de partir. Nous avions un engagement à Valleyfield, je pense. Je passe donc prendre Jean. Je me sentais un peu endormi et engourdi.

Au boulevard Métropolitain, je m'arrête derrière une voiture qui attendait le feu vert. Quand elle démarre, je la suis sans vérifier si le feu était réellement vert.

— Arrête! Arrête! m'a crié Jean.

J'ai appliqué très brusquement les freins et j'ai vu une voiture passer à toute allure en frôlant le nez de la mienne. Ma vie, la sienne, peut-être celle d'autres passagers venaient d'être sauvées. Merci Jean.

La vie continuait à nous sourire, les spectacles étaient toujours très appréciés et Jean, bien en forme, ne me causait plus de souci. Nous avons été parmi les premiers artistes québécois à être vus à la télé couleur... Le cinéma nous souriait également. En fait, depuis notre arrêt forcé à cause de l'accident de Jean, la roue n'avait jamais si bien tourné. On parlait d'un retour en force des Jérolas. Nous avions présenté *Place aux Jérolas*, un film documentaire pour Radio-Canada. Gilles Carle en était le réalisateur. Il y eut également le film *Yul 871* et nous recevions des offres de partout. Durant le tournage de ce film, nous avions dû changer de costumes je ne sais plus combien de fois. Il s'agissait d'une sorte de tournée des clubs de Montréal et on devait y voir les Jérolas partout, habillés en Égyptiens, en Indiens, en Grecs, etc. Quel travail! Songez seulement au maquillage, etc. Et quand le film est sorti, on ne nous a vus que dans une seule scène.

En fait, nous avions même discuté de la possibilité d'une tournée autour du monde, mais «pierre qui roule...» Nous n'avons pas donné suite à notre projet. L'exil, ça ne nous tentait pas. Une carrière internationale oui, mais ça c'était autre chose. Nous voulions rentrer par la grande porte. Entretemps, nous avions tourné un Scopitone. Il s'agissait d'appareils que l'on voyait de plus en plus dans les restaurants ou les endroits publics, des appareils qui, tout en laissant entendre la chanson, donnaient un film en couleur de l'interprète. C'est Gérard Thibault qui les avaient lancés sur le marché.

Ce tournage nous avait bien amusés. Nous nous étions rendus à la Place Ville-Marie vêtus de nos gros «capots» de chat. Nous y avions fait des séquences de Méo Penché, entre autres. Il faisait très froid, c'était en février, et ce n'était pas facile de jouer de la guitare par un temps pareil.

Je nous revois encore. Moi j'étais tout en haut de la Place Ville-Marie, tout au bord, et Jean était en bas avec ses gants de boxe. Quand on nous avait engagés, le réalisateur avait dit: «L'un de vous deux sera en haut et l'autre en bas.» Jean avait vite répondu: «Devinez qui sera en bas?» Il avait également la phobie des hauteurs, même quand il n'était pas en avion. Il avait peur dans les ascenseurs, au milieu des foules... quelle vie! Les choses étaient assez difficiles pour lui.

En novembre 1965, nous avons donné un show, un super-show à la Comédie-Canadienne. Nous avions juré de remplir le théâtre de Gratien Gélinas, car nous voulions souligner dignement nos 7 ans de vie artistique. Alors là, nous avions mis le paquet. Nous avions mis au point toute une série de nouvelles imitations: Fernand Gignac, Tony Massarelli, et les hommes politiques dont Caouette, Lesage, Lévesque, etc.

René Lévesque n'a pas échappé, lui non plus, à nos gags. Eh oui! Avant qu'il ne devienne Premier ministre, nous avions un petit sketch qui se déroulait ainsi.

— As-tu vu René Lévesque le lendemain des élections?

— Non, pourquoi?

— Il n'était pas beau à voir.

— René Lévesque, il n'est jamais beau à voir.

Pour notre spectacle, nous avions travaillé l'appareillage technique et nous avions des montages surprenants. C'est le réalisateur Jean Claveau, un élève de Noël Gauvin, qui avait mis la touche finale au spectacle et qui en avait assuré la réalisation. Ce spécialiste des émissions à grands déploiements du canal 10 s'était dit enchanté de travailler pour les premiers fantaisistes du Québec. Il venait tout juste de terminer la mise en scène du gala de Muriel Millard.

Avant de donner ce spectacle, nous avons pratiquement vécu 24 heures sur 24 ensemble; répétitions, mise au point scénique, photos, publicité. Les journées débutaient à 9 heures 30 du matin et se terminaient souvent tard dans la nuit. Mais, quand je pense aux *standing ovations* que nous avons reçues, aux applaudissements, aux gens qui criaient «Bravo...!» «Encore...!» quelle émotion! Oui, nous étions très émus tous les deux. Il y avait eu des hauts et des bas mais, après dix ans, nous étions toujours là et encore en grande forme. Après ce spectacle, nous sommes tombés dans les bras l'un de l'autre.

Ici, je devrais mentionner l'aide précieuse que nous avions eue du scripteur Gilles Richer. Il nous avait écrit des petits bijoux de sketches. La Comédie-Canadienne n'a pas désempli pendant une semaine et la formule du *one-man-show* était relativement nouvelle à cette époque. Gilles Vigneault avait été l'un des premiers à le faire ici et aux États-Unis. C'est Victor Borge qui, le premier, en avait fait l'expérience. Il avait remporté un succès fou malgré l'avis des connaisseurs qui disaient que ce serait un fiasco. Mais il avait eu le courage de le faire quand même, et ça avait marché pour lui et pour nous également.

À la suite de cette merveilleuse semaine, j'ai eu un premier conflit avec Charlemagne. Je n'ai jamais trop bien compris le fond de cette histoire-là. J'ai cru saisir que Jean, en retour des services monétaires rendus dans le passé, avait laissé entendre à Charlemagne que, pour la Comédie-Canadienne, au lieu du 20 pour cent habituel, on diviserait en trois parts égales. Je n'avais pas été avisé de cette entente et j'ai refusé le principe du tiers. Cela avait causé un froid, mais c'était une question de principes pour moi. En affaires, une entente est une entente, et nous avions convenu d'une commission de 20 pour cent. J'ai tenu mon bout.

De toute façon, Charlemagne n'a jamais perdu un sou avec nous, j'en suis certain. Nous avons donc continué à travailler de plus belle et tout allait bien. Mais nous nous sentions «plafonnés». Il est évident que les proprios de clubs ne pouvaient nous payer davantage, nous touchions le maximum. Nous avions fait de tout: radio, cinéma, télévision, etc. et nous rêvions de nouveaux défis.

C'est à ce moment, qu'en 1966, à l'Hermitage, sur Côte-des-Neiges, le célèbre Bruno Coquatrix a commencé à auditionner pour son show canadien à Paris. Inutile de dire que la plupart des artistes de chez nous souhaitent être choisis. Nous avons évidemment, demandé et obtenu une audition. Nous y avons chanté *La femme et l'auto,* que je n'oserais jamais chanter aujourd'hui. En voici un extrait:

Vous en avez une
C'est merveilleux!
Vous en avez deux
C'est encore mieux!
Vous n'en avez pas?
Surtout ne pleurez pas
On vous passera celle des Jérolas.

Le tout portait sur un jeu de mot et on ne pouvait savoir s'il s'agissait de la femme ou de l'auto. Je pense que, aujourd'hui, je me ferais lancer des tomates par le mouvement de la libération de la femme si je chantais cette composition.

Puis, il y a eu une conférence de presse. Je vois encore Phil Laframboise, son journal sous le bras, le journal auquel il collaborait, qui me fait.

— Pstt... Jérôme, viens ici.

Je m'approche et, en faisant bien attention pour que personne ne le voie, il me montre la page couverture de son journal. Il y était écrit: «Les Jérolas choisis pour l'Olympia.»

Pourtant, officiellement, rien n'avait été décidé.

— Comment peux-tu affirmer une chose pareille? lui ai-je demandé.

— En vois-tu d'autres?

En tout cas, il avait deviné juste. Nous avions été choisis pour aller à l'Olympia. Monique Leyrac avait été choisie pour la deuxième partie. Il y avait également au programme les Feux Follets et Claude Gauthier. Nous étions en vedette américaine. Pour des gars qui rêvaient d'une carrière internationale, pouvait-on demander mieux? Si nous n'avions pas réussi à «passer» aux États-Unis, nous nous promettions bien de faire un «malheur» à Paris.

Une de nos premières photos. À remarquer déjà la ressemblance de Jean Lapointe avec le personnage de Duplessis.

Dans un cabaret en 1959.

Une autre photo officielle.

À nos débuts,
aucun de nous deux
ne souffrait d'embonpoint.

Nous avons fait la majorité des
cabarets du Québec.

Eh hop! dans nos costumes
espagnols.

Nous offrions au public des numéros de chants et de comédie.

C'est le temps d'un tango.

L'un des numéros célèbres de Jean Lapointe: son imitation du Général de Gaulle.

Un numéro concernant les travailleurs de la construction.

En 1974, Les Jérolas à l'émission Le Ranch à Willie.

Jean en boxeur.

En 1971, à Paris, Jean avait la jambe dans le plâtre.

En 1972, nous coanimions une série estivale à la télévision de Radio-Canada. Il s'agissait de «Tout l'monde joue... avec les Jérolas».

Une apparition dans le film *Deux femmes en or*.

Un numéro dans l'émission «Fuddle Duddle» avec Dodo et Denyse en 1971.

Notre association dura 19 ans.

Une de nos dernières photos
officielles.

Notre photo que Charlemagne Landry faisait parvenir aux agents
américains.

Lors de notre premier séjour à Paris, l'affiche de l'Olympia.

Toujours à Paris, Sylvianne Cahay, l'imprésario Félix Marouani, les Jérolas et Mario Verdon.

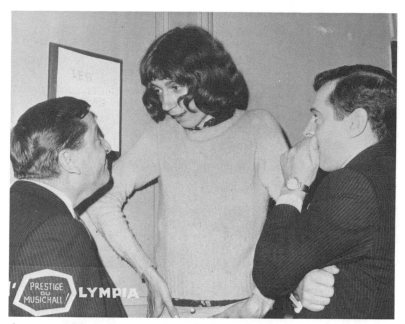

À cette époque, le chanteur Antoine était numéro un.

Dans les coulisses de l'Olympia, avec le chanteur Christophe.

Toujours en 1966, notre premier disque à paraître en France.

C'est ainsi que le caricaturiste Galiana voyait la conquête de Paris par les Jérolas.

En 1971, retour à l'Olympia.

Un autre grand disparu, Claude François.

Bruno Coquatrix nous aimait et nous a grandement aidés de ses judicieux conseils.

CHAPITRE 8

DEUXIÈME ET TROISIÈME VOYAGES À PARIS

Notre deuxième arrivée à Paris, en 1966, fut très différente de la première, c'est certain. Nous étions plus confiants, plus sûrs de nous, il faut le dire. Et puis.... le music hall, c'est cela qui nous intéressait. La télévision, c'est bien beau, mais dans une seule apparition tu es vu par des milliers de gens, tu «brûles» un numéro qui serait bon au moins pour six mois dans les cabarets.

Moi, j'étais plus qu'optimiste. Le fait que Jean ne buvait plus, ça aidait beaucoup. Mais il avait tellement peur en avion qu'il prenait des valiums. À notre descente de l'avion, à Paris, nous avions déjà décidé de faire la conquête de la Ville Lumière. Nous étions pas mal moins timides que la première fois. Il faut dire que nous arrivions en pleine possession de nos moyens, avec un beau contrat en poche. Ça faisait douze ans que nous travaillions ensemble, et pas d'inquiétudes du côté du partenaire.

Nous avons eu beaucoup d'agrément. Nous avons passé une soirée inoubliable en compagnie de Charles

Aznavour, chez Fred Méla et Suzanne Avon. Il avait chanté pour nous ses dernières compositions, dont *Les enfants de la guerre.* Une chose m'avait frappé. Le piano sur lequel Charles Aznavour m'avait accompagné toute la soirée sonnait faux. Mais il n'avait pas semblé s'en apercevoir. En tout cas, il n'en a pas parlé.

Je me rappelle, je m'étais engueulé avec Renée Claude qui était là également. Elle nous avait demandé:

— Pourquoi vous faites-vous appeler les fantaisistes numéro Un du Canada français? Ça fait tellement important comme titre... Quand vous arrivez sur scène, c'est dur à porter un gros titre comme cela.

Et nous lui avions demandé:

— Mais sommes-nous, oui ou non, les fantaisistes numéro Un du Canada français?

— Ouuuiiii mais...

Malgré tout, ça avait été une excellente soirée. Claude Gauthier était là et ça commençait à marcher pas mal fort pour lui à ce moment-là. Nous étions en vedette américaine et il était en vedette anglaise.

Beaucoup de gens se demandent pourquoi on ne dit pas vedette «québécoise», par exemple. Dans le monde du music hall, quand vous êtes la principale vedette, vous êtes toujours la vedette américaine que vous soyez Polonais, Russe ou Chinois. Et celui qui passe en première partie est la vedette anglaise, peu importe sa nationalité également.

Jean et moi, nous sortions souvent ensemble. En fait, un soir de relâche, nous avions flirté (en blague) avec deux poules de luxe. Nous nous étions fait passer pour des Américains et nous nous parlions anglais. Ce fut drôle... les filles ne se doutaient pas que nous comprenions tout ce qu'elles disaient et elles ne se gênaient pas pour dire tout ce qu'elles pensaient.

Ça avait été assez loin et les filles étaient sûres d'avoir trouvé de bons «pigeons» puisque nous sommes allés jusque dans leur chambre. Évidemment, il ne s'est rien passé du tout, car Jean s'est arrangé pour qu'elles se rendent compte que nous parlions français. Vous auriez dû voir la tête des filles... Inutile d'ajouter que nous avons bien rigolé.

Affronter un public parisien, ce n'est pas chose facile, c'est certain. Le premier soir à l'Olympia, tout a très bien marché... et pour cause. La salle était pleine de Québécois. Ça nous a aidés mais nous avions un trac terrible. Quand nous sommes revenus de Paris, Jean m'a dit:

— Te rappelles-tu, Jérôme, il y a eu des fois où je m'accrochais à toi tellement j'avais peur?

Ça m'avait fait me souvenir qu'à certains moments il s'agrippait à ma manche.

Nous avions opté pour un spectacle d'une durée de 25 minutes. Nous aurions pu prolonger davantage, mais nous préférions présenter quelque chose d'assez concis. Nous ouvrions avec la chanson: *Es-tu content?* mais, au début, ça ne prenait pas trop bien. Pourtant, ceux qui ont vu le spectacle plus d'une fois, les machinistes par exemple, en sont venus à préférer cette chanson aux autres.

À un moment donné, nous nous étions demandé si nous allions faire notre imitation du Général de Gaulle; elle était tout simplement désopilante. Mais Jean avait dit:

— Il vaut mieux pas! Ça sera sûrement mal vu que des étrangers se moquent, à Paris, du président de la République. Laissons cela aux Français. Il y a tellement de bons chansonniers qui imitent admirablement de Gaulle.

Je lui avais donné raison. Sans compter que nous avions énormément de matériel. J'y étais même allé de mon imiation de Gilles Vigneault dans *La danse à Saint-Dilon* et les Français avaient adoré cela. Pourtant, Gilles n'était pas encore connu à Paris dans le temps.

Un des numéros qu'on appréciait beaucoup était celui du «journaliste». Ça comprenait des imitations de

Guétary, d'Aznavour, de Bourvil, de Mariano, d'Armstrong et de Moreno. L'imitation qui a été la plus goûtée a été celle que Jean faisait de Bourvil. En fait, il a souvent été obligé de la faire en rappel tellement les gens la trouvaient formidable. Nous y allions aussi des imitations de vedettes américaines comme les Four Aces, les Four Diamonds, etc. Même si ces gens n'étaient peut-être pas tellement bien connus des Parisiens, ces numéros étaient très visuels, avec ses éléments de mime. Et, habilement, nous faisions ressortir l'inintelligibité de ces groupes-là. C'est vrai, on ne comprenait pas les paroles quand ils chantaient. Les gens se marraient à tout coup.

Un soir, Jean-Pierre Ferland était venu nous voir après le spectacle.

— Que j'étais donc fier de vous, nous a-t-il dit. J'étais même trop ému pour applaudir. Vous rendez-vous compte de ce qui vous arrive?

C'est que, déjà, les critiques étaient fort élogieuses, mais je pense que nous ne réalisions pas encore l'importance de ce premier succès parisien. Un journaliste de l'ORTF avait été jusqu'à écrire: «Après Félix Leclerc, il y a les Jérolas.» Vraiment, nous étions flattés d'une telle appréciation.

Nous nous sommes assez vite adaptés à un public qui était tout de même pas mal différent du public québécois. Le sens de l'humour n'était pas le même, c'est certain, mais, à aucun prix, nous ne voulions perdre notre «facture» québécoise. Certains gags, par exemple, étaient trop de chez nous, alors nous les évitions. Mais des gags comme celui du gars qui bafouille et qui ne peut dire un mot, qui se tire d'affaire comme il peut... ça faisait rigoler au Québec. À Paris, aucune réaction.

Ils appréciaient moins aussi les numéros où il y avait trop de mimiques et de grimaces. Ce qu'ils adoraient, par contre, c'était quand, imitant Mariano, je disais à Lapointe-Bourvil: «Fais pas le corniaud.» Ce mot-là était à la mode dans le temps, et Bourvil était une des plus grandes vedettes avec Louis de Funes.

En deux mots, je dirais que ce public était tout de même plus exigeant que les Québécois. Si quelque chose ne faisait pas l'affaire, ça ne «passait» pas, tout simplement.

En tout cas, Bruno Coquatrix était enchanté et, à la fin de ce premier engagement qui avait eu lieu en septembre 1966, il nous avait signé un autre contrat pour décembre de la même année.

Alors là, nous étions contents. Nous savions maintenant à quel moment le public réagissait ou pas, ce qu'il aimait le plus, etc.

Lors de notre premier voyage, j'avais promis à Fred Méla et Suzanne Avon de leur apporter un beau rôti d'orignal si j'étais chanceux à la chasse. Et j'ai été chanceux! Ma femme avait fait congeler le rôti que nous avions bien emballé et mis dans un petit sac de cuir pour la durée du voyage. Je savais que nous n'avions pas le droit de «passer» de la viande aux douanes, mais je m'étais dit que je prendrais tout de même une chance.

Je me vois encore au comptoir des douanes à Montréal. L'employé me demande: «C'est lourd?» faisant, sans s'en rendre compte, un jeu de mot avec «l'ours». Et moi de répondre flegmatiquement: «Non, c'est de l'orignal». Jean a pouffé de rire et le commis a sans doute pensé que nous étions des niaiseux. En tout cas, il n'a pas ouvert le sac.

Il nous restait maintenant à passer les douanes françaises. Mario Verdon nous y attendait et il était au courant de notre petit manège. En nous apercevant de l'autre côté de la barrière, il s'élance vers nous en criant, d'une voix impressionnante: «Bonjour, vous avez fait bon voyage? Mais, je vous en prie, donnez-moi cela», et il s'empare du sac en faisant le cabotin. Parle, parle... jase, jase... il s'est esquivé vers la sortie avec le sac. Par la suite, Mario et son épouse, Sylviane Cahay, avaient été ceux qui avaient répandu la nouvelle au Québec que les Jérolas étaient en train de faire un «malheur» à Paris.

En fait de spectacle, ce voyage a dépassé toutes nos espérances. Il était même sérieusement question d'organiser une grande tournée en Suisse, en Belgique, etc. mais, c'était le temps des fêtes. La température était sale et grise à Paris. Je pensais avec mélancolie à ma famille dont je m'ennuyais. J'avais un peu le cafard malgré tout le clinquant et la publicité qui nous entouraient. Et j'ai beaucoup apprécié l'invitation que nous a faite Jean-Pierre Ferland d'aller passer la nuit de Noël chez lui: que voulez-vous, j'ai été élevé dans une grande famille et, pour moi, les fêtes, c'était important. Dans le temps, Jean-Pierre n'avait pas beaucoup d'argent et il habitait un modeste logement. Avant que nous montions chez lui, Jean avait suggéré que nous apportions... Pourquoi pas une bouteille de champagne? J'avais trouvé l'idée excellente. Et même si nous avions tous un peu le spleen en pensant à la belle neige du Québec, la soirée fut très agréable. Nous étions tellement heureux de ne pas être confinés à nos chambres d'hôtel. Et puis, dans les rues, tout nous rappelait l'atmosphère des fêtes... les décorations, les guirlandes, les gens qui magasinaient, etc. Grâce à Jean-Pierre, ce fut un excellent réveillon. Il avait apprécié le champagne: Il ne pouvait s'en payer à ce moment-là.

Puis, ce fut le retour à Montréal où de nouveaux défis nous attendaient. En 1968, il y a eu pas mal d'action. Mais j'aurais dû être habitué car notre vie n'en a jamais été une de tout repos.

Nous avions besoin d'un temps d'arrêt après notre grande aventure parisienne. Devions-nous nous orienter vers le marché américain ou vers le marché français? Les deux portes nous étaient ouvertes et c'était déjà appréciable d'avoir à faire un tel choix. Beaucoup d'artistes auraient aimé être à notre place. Moi je penchais pour les États-Unis, Jean pour l'Europe.

Nous nous sommes remis au travail mais il y avait tellement à faire ici qu'il n'était pas question d'aller à l'extérieur. Un gala était prévu en mai à la PdA avec

Charles Aznavour et un récital solo, à la PdA également, pour novembre. Nous avions du pain sur la planche.

Entretemps, nous avons fait quelque chose de nouveau pour nous... des commerciaux. Cette nouvelle aventure allait durer six bonnes années. Il y a eu Esso, Coca-Cola, Pepsi-Cola et de nombreux autres. Ce fut une très belle expérience et nous avons aimé travailler avec des gens de fort calibre, en particulier avec MM. Preshiano et Marchand, de la Molson, et les gens de Cockfield Brown. Il y a eu des contrats très alléchants. Ainsi, les campagnes pour la Laurentide furent importantes, plus de 50 messages filmés de 30 ou 60 secondes. C'était avant que cette loi stupide ne fut votée, qui défendait à des artistes connus d'annoncer de l'alcool.

C'est alors qu'eut lieu le grand gala, le onzième gala-concours de la publicité au Théâtre Maisonneuve de la Place des Arts. Plus de 1 000 personnes s'étaient réunies pour assister à la consécration des dieux de la publicité.

Beaucoup de vedettes s'étaient emmenées, dont Mario Verdon, acccompagné de Sylviane Cahay, et Jacques Normand. Nous, élégants dans nos smokings noirs, nous étions plus que contents. Notre commercial télévisé de la Brasserie Molson s'était mérité un Coq d'or. On sait que le Coq d'or est le symbole par excellence de la réussite publicitaire. C'était l'année ou l'Office de l'Information et de la publicité du Québec s'était mérité un Coq d'or pour «Québec sait faire».

Je dois dire que le tournage des commerciaux, par moments, c'est plus excitant qu'un tournage de films. Ça rapporte beaucoup plus à l'artiste qu'un long métrage. Quand Molson a décidé, par exemple, de réaliser le commercial d'été pour la Laurentide, elle y a mis le paquet. C'était impressionnant comme production. Les gens ne savent pas la somme de travail que peut exiger la réalisation d'un commercial d'une durée de 30 ou 60 secondes à la télé.

Le commercial de la Laurentide avait été tourné en 35 mm couleur dans une maison de Notre-Dame de

Grâce. Il y avait foule devant la caméra pour donner l'impression d'un party. Et derrière la caméra, il y avait au moins vingt personnes qui s'occupaient de la partie technique. À cause des appareils d'éclairage, la chaleur était étouffante.

Nous étions plusieurs pour tourner ce message, dont Marie-Josée Longchamp et Robert Arcand, entre autres. Au début, Marie-Josée tente de gagner des points en jouant la boule numéro 9. Elle manque son coup et se console en buvant une Laurentide. Puis c'est Jean qui, malgré ses airs fanfarons et de matamore, manque lui aussi son coup. Alors, moi, le héros, Jérôme Lemay, j'arrive et, d'un seul coup, je réussis à faire tomber quatre boules. Et tout le monde de boire encore de la Laurentide pour fêter cela. Et dire que c'est la chanson *Es-tu content?* qui avait été à l'origine de tous ces contrats. C'était Yves Langevin qui, après avoir analysé la «toune» d'un bout à l'autre, en avait déduit que cette chanson-là était faite pour la bière Laurentide... ce en quoi, il avait tout à fait raison.

Ah!... la fameuse fois que nous tournions avec Mlle Québec à La Ronde. La journée avait été dure et tout le monde était fatigué, mais le commercial était presque terminé. Il ne restait qu'une ou deux scènes à tourner quand la fille s'accroche les pieds dans un fil, la caméra tombe par terre, elle s'ouvre et tout le film a été exposé. Il fallut tout refaire. Elle pleurait... je pensais qu'elle n'allait jamais arrêter. J'ai été la consoler en lui disant que ce sont des choses qui peuvent arriver, qu'en fait ça m'était souvent arrivé à moi aussi... ce qui était vrai.

On ne peut pas dire que nous étions malheureux... l'argent rentrait, mais nous avions des goûts pas mal dispendieux bien que très différents. Ainsi, je roulais en Cadillac et Jean en Jaguar. Il aimait collectionner des tableaux, des paysages de Marc-Aurèle Fortin, par exemple. Moi, je louais des avions et je parcourais les Laurentides. Parfois, j'allais aux courses avec Jean, mais je ne raffolais pas de cela. D'ailleurs, je ne suis pas joueur de nature et je ne crois pas aux loteries. Les chances sont contre toi en partant, de toute façon.

Tout allait fort bien sauf pour le problème de Jean, son «nouveau» problème. Il souffrait de claustrophobie comme jamais. Il éprouvait de l'angoisse dès qu'il se sentait enfermé quelque part et ça compliquait drôlement les choses.

Ça me rappelle la fois que Lisette et moi devions aller à Las Vegas pour ensuite rejoindre le couple Lapointe à Miami. Eux, ils y allaient directement et notre avion partait une heure plus tard. Mais, à Dorval, juste au moment où l'hôtesse a fermé la porte de l'avion avant le départ pour Miami, Jean a commencé à se sentir mal. Il a tout fait pour se contrôler mais sans y parvenir. Finalement, il a décidé de descendre de l'avion et a demandé à faire transférer ses bagages pour Las Vegas en me disant: «Je pense que je vais me sentir plus en sécurité avec vous autres.»

Mais, là encore, dès que la porte de l'avion s'est refermée, ce fut la panique. Encore, une fois, il dut descendre de l'avion. Il était tout pâle, en sueur, il avait de la difficulté à respirer, bref, ça n'allait pas du tout.

Il retourna au guichet:

— Je voudrais changer la destination de mes bagages et de mes billets pour Las Vegas.

C'était le même préposé. Il l'a reconnu et il lui a dit:

Écoutez, avez-vous l'intention de changer souvent d'idée comme ça?

— Il n'y a que les fous qui ne changent pas d'idée.

La femme de Jean ne semblait pas trop comprendre ce qui arrivait. Elle ne s'expliquait pas cette sensation de peur qui mettait Jean dans des situations incontrôlables et insupportables. Je ne me souviens plus comment Jean a fini par se rendre en Floride. Quand notre avion a décollé, il était encore à Dorval avec sa femme.

Là-bas, tout s'est bien déroulé et nous nous sommes amusés. Nous avons joué aux cartes, sommes allés aux courses de chiens et de chevaux, avons magasiné, joué au golf. Ce fut la vraie détente quoi. Et nous étions loin de l'hiver surtout. J'ai gardé un bon souvenir de ces voyages que nous faisions ainsi de temps en temps. Mais Jean s'amusait beaucoup moins que nous à cause de ses peurs. Il avait pris bien souvent des Valiums pour se calmer, mais il commençait à en avoir assez de ça. Ça ne réglait tout de même pas le problème!

CHAPITRE 9

LA PLACE DES ARTS

En 1968, tout allait bien ici et, en riant, nous disions:

— Si ça ne marche pas aux États, nous sommes prêts à faire des sacrifices... nous irons en France.

Puis il y a eu le gala de la Place des Arts en mai. Nous y étions en vedette avec Charles Aznavour qui semblait ravi de nous revoir. Il s'agissait d'un gros gala de bienfaisance organisé en collaboration par divers clubs sociaux dont Kinsmen Alouettes, les Productions Spex, le journal *Échos-Vedettes* et CKLM. Aznavour était accompagné de sa ravissante blonde Ulla, qu'il adorait à l'époque. Il faut dire que c'était une très belle jeune femme. Ah!... ce gala...

Frenchie Jarraud était alors le nouveau reporter vedette à CKLM. Il était arrivé vêtu d'un impeccable smoking, et col roulé. D'ailleurs, la Place des Arts était pleine à craquer ce soir-là et les tenues de gala côtoyaient les tenues les plus osées. Il y avait un monde fou. Mariette Lévesque était très en beauté, en pantailleur et chemisier à dentelle tandis que Pierre Brousseau portait un costume style Al Capone.

Clairette, la «mère supérieure» était là, avec sa «cour» dont Danielle Oderra et son pianiste Rousseau, ainsi que Stéphane Venne.

Andrée Boucher était très élégante et la journaliste Ingrid Saumart était remarquable avec ses boas. On l'avait surnommée la femme-serpent et elle était accompagnée de Philippe Arnaud. Jean-Pierre Ferland était le maître de cérémonie et Richard Martin était le réalisateur. J'ai eu l'occasion de faire *Bye Bye 77* avec lui par la suite. Il n'en revenait pas de la façon dont j'imitais Ginette Reno. En fait, quand je le rencontrais quelque part il me prenait toujours par un bras, m'emmenait dans un coin et me disait:

Fais-moi ton imitation de Ginette Reno.

Et pendant que je m'exécutais, il roulait des gros yeux en s'exclamant:

— Ça s'peux-tu tab....

Comme les répétitions avaient duré plus longtemps que prévu, le spectacle a débuté avec une bonne demi-heure de retard. À cause d'une application stricte d'un règlement syndical. Le spectacle a débuté avec Patsy Gallant mais, malheureusement pour elle, l'orchestre «l'enterrait». Renée Claude avait eu également des problèmes techniques. Pour nous, tout c'est bien passé. Il faut dire que nous étions habitués à travailler dans des petits clubs, pas mal «broche-à-foin» parfois. Il ne pouvait donc rien nous arriver d'emmerdant.

C'est l'avantage qu'il y a à faire du cabaret. On s'habitue à travailler dans toutes sortes de conditions. Pour nous, la Place des Arts, c'était réellement très bien. À ce moment-là, Aznavour envisageait, lui aussi, une carrière aux É.-U. et il nous avait parlé d'un projet qu'il caressait: faire une tournée aux États-Unis, avec nous en première partie. Nous étions prêts à négocier ça, c'est évident.

À la PdA, tout s'est déroulé comme nous l'espérions. C'est toujours énervant pour un artiste, habitué à faire du cabaret, de transporter son show dans une très grande salle. Mais le public nous avait vivement applaudis et nous étions contents. Il faut dire que, après l'Olympia, il n'y avait plus grand-chose pour nous faire peur. Aznavour nous avait même dit que nous avions failli lui voler le show.

Vers la même époque, nous avions rencontré M. et Mme Robert Bourassa lors d'une grande fête des malades organisée à l'hôpital Saint-Charles-Borromée. Nous avions visité les patients et donné un spectacle que tous avaient fortement applaudi.

Il semblerait que nos imitations des politiciens n'aient pas trop offusqué M. Bourassa. En général, tout le monde en riait et personne ne nous en a voulu, même qu'en octobre de la même année, alors que nous donnions un récital à la PdA Daniel Johnson nous avait fait envoyer un télégramme: «ENGAGEMENTS ANTÉRIEURS M'EMPÊCHERONT STOP VIFS REGRETS STOP VOUS SOUHAITE UN IMMENSE SUCCÈS STOP FÉLICITATIONS AUX JÉROLAS POUS AVOIR SI BIEN REPRÉSENTÉ LE QUÉBEC À PARIS STOP CORDIALES SALUTATIONS.»

Nos têtes de Turc favorites, c'étaient les politiciens. Ainsi, même avant que le spectacle à la PdA ne commence, Jean disait:

— Si vous examinez notre horaire, vous remarquerez qu'il n'y a pas de spectacle le jeudi soir. La raison? C'est que Lise Payette vient nous voir à guichet fermé... elle prend toute la place!!!

Je pense, malgré tout, que c'est encore Réal Caouette que nous avons le plus «malmené». Mais Lise Payette y a passablement goûté aussi. Par la suite, cependant, le Palmarès Watergate avait été pas mal apprécié. Puis il y avait eu la décision du maire Jean Drapeau de sacrifier le parc Viau à la construction du Village olympique. Ça avait provoqué pas mal de polémiques. Et ça

avait donné une chanson qui débutait ainsi: «*Quand Drapeau parle des Olympiques, ça reverdit pas...*» (sur un air
connu).

Puis, il y a eu un autre court voyage à Miami pour
Jean et ce fut le début de la catastrophe. Il était resté seul
à l'aéroport de Miami, tremblant d'inquiétude tout en
buvant un Seven-Up, quand, tout à coup, il rencontre un
pilote d'avion. Jean lui a fait part de sa grande peur dans
les avions.

Il en avait marre de la béquille des valiums dont il
avait souvent fait usage et ne savait plus quoi inventer.

— Prends donc une p'tite bière ou deux, ça va régler
ton problème, lui a dit le pilote qui ne connaissait pas le
passé de Jean.

— Ouais... ce n'est pas une mauvaise idée, tu as sans
doute raison...

Et voilà... les résultats de deux belles années d'abstinence venaient de prendre le bord. Et emmenez-en de la
bière... je ne veux plus avoir peur....

Jean m'a raconté que, à 40 000 pieds d'altitude, il
s'est mis à écrire des lettres... des lettres à tout le monde
qu'il connaissait... à sa femme... à Jacques Beauchamp.... des lettres qu'il a d'ailleurs détruites avant que
l'avion ne se pose sur le sol québécois. C'était probablement aussi bien. Mais Jean venait de s'embarquer et
d'embarquer tout son entourage dans des problèmes
malheureusement trop bien connus.

Et la vie a recommencé comme auparavant. Mais,
comme toujours, il y avait des bons et des mauvais
moments. Ainsi, un soir, à l'Ambassador de Gatineau,
toute une délégation de députés créditistes assistait à
notre spectacle. Réal Caouette était là et il n'a jamais
caché son admiration pour nous, même si nous l'imitions
d'une façon assez mordante.

Mais, nous aussi nous l'aimions bien. Il était dyna-
mique et avait un sens de l'humour bien particulier. Moi,
je connaissais Monsieur Caouette depuis longtemps car il

avait fait la cabale avec mon père alors que j'étais encore adolescent.

À la fin de notre spectacle, il nous avais crié:

— Bravo les gars! N'oubliez pas, je suis venu voir votre show alors il vous faudra venir voir le mien au Parlement.

Et nous y sommes allés. Je dois dire qu'il mettait de la couleur pas pour rire aux débats de la Chambre des Communes. Quand il posait une question embêtante au ministre de la Justice, tout le monde l'applaudissait.

Après les débats en Chambre il était venu nous chercher pour nous présenter à Monsieur Trudeau qui nous avait très gentiment reçus. «Vous savez, nous avait dit ce dernier, je suis votre carrière avec beaucoup d'intérêt.» Ah... que nous étions fiers d'entendre de tels propos de la bouche même du Canada!

Un autre moment inoubliable, ce fut lorsque nous avons donné un récital au Palais Montcalm à Québec,, Nous étions accompagnés de l'Orchestre philharmonique... rien que ça! Et j'avoue que ça m'a fait tout un effet quand j'ai entendu cette soixantaine d'excellents musiciens attaquer les premières mesures de: *Es-tu content?* Il m'en passait des frissons dans le dos.

Mais, entretemps, Jean «filait un mauvais coton». C'est un fait connu que quand une personne arrête de boire et qu'elle recommence, c'est encore plus dommageable. Ainsi, un soir que nous étions à la Porte Saint-Jean, je me préparais pour le deuxième spectacle... mais pas de Jean. Je commençais à m'énerver quand on me fait demander à l'entrée des artistes. Et je vois Jean dans un état pitoyable, accompagné de son frère Anselme. Il avait l'air plus malade qu'ivre. Il me dit alors:

— Je suis incapable de monter sur la scène. Je me sens trop mal. Anselme va m'accompagner à l'hôpital car je pense que j'ai besoin de me reposer.

Nous avons dû annuler les neuf jours qui nous restaient pour terminer le contrat.

Il est arrivé assez souvent à Jean de se faire soigner. Je revenais un jour de Miami. J'étais tout bronzé, en forme, resplendissant de santé. Jean devait aller à Saint-Luc et il me dit:

— Je n'ai pas envie d'y aller seul. Accompagne-moi, s'il te plaît.

J'avais dit d'accord et il en avait pour un bon petit bout de temps.

— Jérôme, pendant que tu es ici, pourquoi ne pas en profiter pour un bon 'check up'?

Je me suis dit que l'idée n'était pas mauvaise. Et on m'en a fait et refait des tests, boire une sorte de craie, bref quand je suis remonté pour rencontrer Jean, j'ai soudainement perdu connaissance. J'étais rentré en forme et je ressortais malade. Jean avait bien ri.

Malgré tout, Jean conservait sa présence d'esprit et son sens de l'humour. Un soir, au Baril d'Huîtres, nous venions tout juste de chanter notre chanson d'ouverture. Juste devant nous, il y avait quatre hommes assis à une table et l'un d'entre eux nous tournait complètement le dos. Franchement, nous n'avions jamais rien vu de pareil.

Nous continuons le show en pensant qu'il allait finalement se retourner, nous regarder au moins. Mais non, le gars jasait tranquillement avec ses amis. Alors, là, Jean s'arrête:

— Excusez-moi, Monsieur, notre spectacle ne vous intéresse pas?

— Non, nous sommes venus ici pour prendre un verre.

— Alors pourquoi n'allez-vous pas dans le cocktail lounge, c'est l'endroit tout indiqué pour prendre un verre. Ici, c'est la salle des spectacles.

À cet instant, l'un des quatre types prend la parole et dit à Jean:

— Sais-tu à qui tu parles présentement?

— Non, mais j'aimerais bien le savoir.

— Cette personne est nulle autre que le ministre de la Voirie.

— Ah oui? Eh bien... je conseillerais au ministre de la Voirie d'aller faire un tour du côté du ministère de l'Éducation.

Les quatre se sont levés et sont sortis pendant que la salle applaudissait à tout rompre. Et nous avons tranquillement continué notre spectacle.

Il m'est arrivé des choses assez curieuses, à moi aussi, au cours de nos engagements. Au Faisan Bleu... c'était beau. Il y avait mille sièges, un gros orchestre, le meilleur système de son et de lumière de l'époque. Rien de trop beau, quoi. Et le plus dramatique, c'est que, malgré tout ce déploiement, ça ne marchait pas. Par contre, l'hôtel Central, juste en face, qui faisait tout de même plus «folklorique» a tenu le coup pendant de nombreuses années et Monsieur Girardi, le proprio, était bien content.

Je venais de monter sur scène et je me préparais tranquillement à faire mon numéro quand... en touchant au micro... (ne me demandez pas ce qui est arrivé), je suis devenu tout croche, j'ai perdu connaissance et je me suis retrouvé par terre. Je ne sais si c'était le courant, un choc, mais le plus drôle c'est qu'à ce moment-là Jean faisait son imitation d'Elvis. Pour une fois, je pense que j'avais été meilleur que lui dans du Elvis.

À l'hôtel Central, un soir que nous faisions notre numéro de Méo Penché, il en était arrivé une bonne. Il y avait pas mal d'action dans ce numéro. Jean se boxait et il y allait pas mal fort, ce soir-là. C'était probablement à cause des nombreux cognacs qu'il avait ingurgités avant le spectacle. À un moment donné, en faisant ses grands gestes Jean se donne un solide coup de poing et il tombe par terre. Les musiciens et moi nous nous mettons à compter. 1 - 2 - 3 - 4 - etc., jusqu'à 9 au moment où Jean devait relever la tête et crier: «Mambo!»...

Nous comptons, nous attendons... rien...! Je commençais à penser qu'il s'était mis K.O. lui-même. Les musiciens attendaient, le public attendait, moi j'attendais et tout à coup, je vois Jean qui ouvre péniblement un œil et qui dit: «*Samba*!» (ça me bat).

Puis est survenu le décès du père de Jean, et ma femme et moi sommes allés à Québec pour assister aux funérailles et offrir nos condoléances à toute la famille. Mais quand, quelques années plus tard, j'ai eu la douleur de perdre mon père, je n'ai même pas reçu un télégramme de mon partenaire. Ça m'avait bien fait mal au cœur. Le reste, je l'avais «pris» mais ça, ça a été la plus grosse déception de ma carrière de Jérolas. L'alcool me semblait une bien piètre excuse. Mais ce problème d'alcool était loin d'être définitivement réglé.

Ainsi, Charlemagne Landry nous avait téléphoné un jour pour nous dire que l'Association des Clubs Richelieu voulait retenir nos services à l'occasion de sa grande réunion au théâtre des festivals de Cannes, en France. Moi, je trouvais qu'au prix qu'il faudrait nous payer, avec les déplacements et tout, l'Association ferait aussi bien de se payer Bécaud ou Aznavour.

— Combien voulez-vous? me dit Charlemagne.

— Six mille dollars.

Quelques jours plus tard, le contrat était signé.

Immédiatement, nous avons intégré ce futur voyage dans nos spectacles.

— On s'en va à Cannes, comme ça?

— Il paraît qu'il y a de belles petites «canettes» là-bas.

— Ouais, mais fait bien attention de ne pas te retrouver avec une «canisse».

Vous voyez le genre....

Au moment du départ, nous sommes montés dans un «jet» d'Air France car Air Canada était en grève à ce moment-là. Jean, sans doute pour vaincre sa peur de l'avion, avait pas mal bu et il a encore bu dans l'avion. Quand nous sommes arrivés à Cannes, il n'en fauchait pas large. Et moi je ne le lâchais pas d'une semelle. Nous avions un spectacle à donner.

Je ne me suis jamais senti aussi mal que le soir du spectacle alors que nous nous préparions à entrer en scène. Georges Dor nous précédait avec son numéro. Tout à coup je vois Jean qui se met à reculer. Tout à coup, il était à côté de moi, tout à coup, il n'y était plus. Je lui demande ce qu'il y a:

— Le plancher n'est pas de niveau ici.

Je le retiens par la manche, mais il me dit qu'il veut aller aux toilettes. Il est monté en trébuchant. Le malheur, à ce stade-là de sa maladie, c'est qu'il mélangeait alcool et valiums. En tout cas, je puis dire que nous étions dans une situation difficile sur la scène et que j'ai été bien gêné d'accepter ma paye. Le lendemain, dans un journal français, un critique écrivait: «Les Jérolas... une soupe aux pois pas mal épaisse.» Et je pense qu'il a tout de même été assez gentil. Nous étions loin des beaux jours de l'Olympia, n'est-ce pas? Ça se passait en 1969.

CHAPITRE 10

L'OLYMPIA AVEC DALIDA

En août 1969, les journaux s'étaient étonnés du fait que nous avions refusé la somme de 130 000 $. En effet, c'était beaucoup d'argent, mais il s'agissait de faire la tournée des hôtels Hilton dans le monde entier, pendant un an, à raison de 2 500 $ par semaine. Mais nous gagnions largement notre vie ici et nous ne voulions pas quitter nos familles.

On en arrive parfois à un point où la qualité de la vie a plus d'importance que l'argent. Jean avait ses loisirs, j'avais les miens. Je fais surtout allusion à ma passion pour l'aviation qui s'était développée au cours des années. J'avais vu, au Palais des Sports rue Berri, un appareil qui m'avait séduit... le Gyrocoptère, un genre de mini-hélicoptère planeur tout léger qui m'avait fasciné. Après quelques leçons d'entraînement sur la piste de Saint-Germain, près de Drummondville, j'ai acheté l'appareil. D'ailleurs, pour la pochette de l'un de nos microsillons, nous avions posé Jean et moi, en plein vol et en tenue de gala, un verre de champagne à la main et un journal dans l'autre. Des braves quoi! Mais cette photo n'allait pas être utilisée. On nous avait dit qu'il fallait en faire d'autres, mais quoi?

Nous étions en habits et nous avons décidé de faire du ski nautique. Ça peut se faire sans se mouiller si on «lève» assez vite. Le tout s'était assez bien passé et Jean s'en tirait bien. En revenant, je lui ai indiqué quand lâcher le câble, car il allait se frapper sur le quai. En tout cas, résultat final, nous sommes tombés tous les deux à l'eau et «clic», on a fait une bonne photo qui a servi pour la pochette d'un de nos microsillons, celui qui s'intitulait *Es-tu content?*

Une fois, j'ai eu la fantaisie de décrocher le câble qui reliait mon planeur au yacht, ignorant ce qui allait se passer. J'ai presque perdu le contrôle et j'ai chuté vers la surface du lac. Chanceux, je m'en étais tiré indemne, mais le choc avait été fort et j'ai eu un mal de tête lancinant pendant plusieurs jours.

Mais ce planeur ne me suffisait pas. Depuis 1968, je n'ai cessé d'accumuler des heures de vol. Que ce soit de jour ou de nuit, qu'il s'agisse de monos ou de bi-moteurs, je puis conduire au moins une trentaine d'appareils de types différents.

J'avais emmené, une fois, le sympathique chef d'orchestre Roland Bourque qui a travaillé pendant quinze ans avec nous. Il buvait tranquillement une petite bière quand, brusquemment, j'avais été obligé de faire un virage rapide. La bière avait renversé et il était certain, le pauvre, que nous étions en train de tomber. Mais il y avait une excellente entente entre nous et nos musiciens car leur contribution était importante. Guy Nadon avait été notre batteur pendant douze ans et il savait exactement à quel moment il fallait dramatiser un élément de notre spectacle ou quand faire le silence. Roland a dû alors mettre en pratique cette entente. J'ose espérer qu'ils gardent, eux aussi, un bon souvenir de cette époque. En tout cas, moi je pense encore à eux avec nostalgie.

Ce «hobby» m'a été bien utile dans notre métier car il m'arrive encore aujourd'hui de piloter moi-même et d'emmener mes musiciens quand je donne des spectacles. Mais je préfère tout de même le vol de brousse, considéré cependant comme assez dangereux. J'ai toujours eu le goût des défis. Une fois, mes patrons de Cockfield et Brown s'arrachaient les cheveux parce que je n'étais pas là pour le tournage d'un des commerciaux de la Laurentide. J'étais pris dans le fond des bois avec mon hydravion et le mauvais temps persistait depuis trois jours. J'avais tout de même réussi à envoyer un message par la radio via Wabush-Terreneuve.

Vers ce temps-là, ça commençait à se détériorer dans les cabarets comme atmosphère. Fini le beau temps du Faisan Bleu, du Casa Loma, du Mocambo, etc. Les cabarets étaient petits, de moins en moins reluisants, et certains avaient même l'air de véritables trous. Les jeunes d'aujourd'hui ne peuvent s'imaginer de quoi ça avait l'air À la Porte Saint-Jean, par exemple, c'est bien dommage... c'est la situation économique qui veut cela.

Un soir, nous étions dans un petit club minable de Cap-de-la-Madeleine alors que la grève des hôpitaux durait depuis plusieurs jours dans la province. Au beau milieu de notre spectacle, une grosse bonne femme entre en trombe dans l'établissement et s'écrie:

— La grève des hôpitaux est finie!

Jean ne perd pas une seconde et lui répond:

— Va donc te faire soigner!

Il m'est également difficile d'oublier les carnavals de Québec. Ça ne s'oublie pas! J'avoue que, les premières années, ça m'emballait; les défilés, les pee wees, l'atmosphère de fête, etc. Mais après y avoir participé à dix reprises, j'avoue que ça m'excitait pas mai moins mais, chaque année, les propriétaires de clubs se disputaient pour nous avoir.

Les conditions de travail étaient alors assez difficiles parce que tout le monde était pas mal «pompette». Une fois j'avais oublié de réserver ma chambre. Misère! et ma femme qui était enceinte à ce moment-là. Jean et son épouse se retiraient chez les parents de Jean, à Cap-Rouge, et Lisette et moi avions été obligés d'accepter de coucher dans une petite chambre minable. Jean me dit:

— Venez donc coucher chez nous, on va faire la bombe!

Comme une tempête de neige faisait rage, nous n'avons pas pu nous rendre à Cap-Rouge et Jean et son épouse non plus. Nous avons dû nous contenter du seul lit qu'il y avait dans la place. Heureusement qu'il était «king size». La situation, vous en conviendrez, était plutôt cocasse. Nous nous sommes installés tant bien que mal, les hommes au milieu du lit et les femmes de chaque bord. Nous n'avons pratiquement pas dormi de la nuit et nous avons fait pas mal de blagues. Mais, au petit jour, tout le monde s'est finalement endormi malgré l'inconfort de la situation.

Quand je me suis réveillé, j'ai vu ma pauvre petite femme recroquevillée dans un fauteuil qui essayait de dormir un peu.

— Mon pauvre chou, mais que fais-tu là? Il faudrait bien que tu dormes.

— Moi, ce n'est pas grave, je n'ai pas de spectacle à faire ce soir.

Ça c'est ma Lisette!

Comme je le mentionnais précédemment, nous n'arrêtions tout de même pas de travailler et nous vivions mieux que bien. Lisette et moi avions réalisé un rêve, en achetant une somptueuse maison sur l'île de Mai. Elle avait mangé toutes nos économies, mais nous ne l'avons jamais regretté.

De son côté, mon partenaire était propriétaire d'une belle maison dans un quartier chic de Ville Mont-Royal. Donc, pas de problèmes financiers au moins. Mais la maladie de Jean progressait. Il ne «portait» plus du tout la boisson et ça m'inquiétait grandement. En fait, il allait tellement souvent à l'hôpital que les employés connaissaient tous le «cas» Jean Lapointe.

Ça venait par vagues.... il se mettait sur la «wagon»... six mois... un an.... trois semaines... un mois... Qu'il devait donc être malheureux! Moi, j'en étais arrivé à me conditionner et à me dire quand nous avions des spectacles à donner: «S'il arrive, tant mieux! Sinon, je ferai le spectacle tout seul ou j'annulerai.»

C'était triste de voir cela... son état empirait. Il hallucinait parfois et j'avais de la misère à le raisonner. Il devenait paranoïaque, il en voulait à tout le monde, il voulait toujours se battre. Même s'il manifestait encore du respect à mon égard, j'avais de plus en plus de mal à le contrôler. Un jour qu'il avait fait une énorme gaffe, je m'étais emporté:

— Va-t-en, n'importe où... je ne veux plus jamais te revoir.

Il était 6 heures du matin et nous étions à six cents milles de Montréal. Il est parti la tête basse, prenant la route de Montréal à pied. Je le regardais s'éloigner, une figure solitaire et pathétique, et je regrettais déjà d'avoir été aussi dur avec lui. Je me disais, en espérant mentalement qu'il allait revenir:

— Il ne peut aller loin comme cela, voyons.

Et je l'ai vu s'arrêter d'un coup sec, réfléchir trois ou quatre minutes, revenir sur ses pas et monter dans sa chambre.

Sa femme faisait ce qu'elle pouvait pour le contrôler, elle aussi, mais ce n'était pas facile. Elle le surveillait de près, elle s'assurait qu'il ne buvait pas, mais il avait un comportement bizarre malgré tout.

Et elle a finalement découvert le pot-aux-roses. Quand il passait devant le bar, il faisait signe au barman puis il allait à la salle de toilette des hommes. Là, il attendait que le bus boy lui apporte un triple cognac. Il se disait que jamais sa femme n'oserait entrer dans la toilette des hommes... ce en quoi il se trompait! Et elle l'a pris la main dans le sac ou plutôt les lèvres dans le cognac...

Et nous avons continué à travailler, cahin caha, mais c'était de plus en plus difficile. Mais, en 1971, il s'est produit deux événements marquants. D'abord, il y a eu un problème avec Charlemagne Landry. J'avoue humblement que nous avions, sans trop nous en rendre compte, pris l'habitude de jouer aux martyrs avec lui.

— Au lieu d'engager deux musiciens, il faut maintenant en engager trois ou quatre. Ça coûte plus cher... faudrait peut-être diminuer la commission de Landry.

Finalement, Charlemagne a convoqué une conférence au sommet. Il avait toujours été très patient et même un peu bonasse à notre égard, mais il n'était ni aveugle ni naïf. Ce meeting a duré au moins trois bonnes heures. Moi, comme d'habitude, je n'ai presque rien dit. Mais la conversation était tellement houleuse que j'aurais eu de la difficulté à placer un mot, même si je l'avais voulu.

— J'ai assez travaillé pour bâtir et aider les Jérolas. Et aujourd'hui, vous venez me dire que vous voulez diminuer mon salaire? Ça ne se passera pas comme ça.

—Écoute, Charlemagne, on a plus de dépenses.

— Oui, mais vos contrats paient plus et vous me payez ma commission après avoir déduit le montant que vous versez aux musiciens. Votre argument ne tient pas debout.

— On voit bien que ce n'est pas toi qui vas courir dans les petits hôtels... tu es bien confortablement installé au téléphone...

— Aie, tu charries pas mal, Lapointe... je fais mon travail de gérant. Et puis, je ne suis pas stupide... je sais que vous prenez des petits engagements en cachette... je trouve cela très mesquin.

Finalement, Charlemagne avait réussi à nous convaincre qu'il avait raison, en partie du moins. Ça ne nous avait pas empêchés de passer outre à quelques-unes de ses recommandations.

Entretemps, l'Olympia de Paris nous faisait signe de nouveau, cette fois par l'entremise de Monsieur Marouani, un imprésario de grande renommée.

Nous nous sommes bien promis, alors, de répéter nos succès précédents et même de faire mieux encore, si possible. Mais nous nous trompions lourdement. Il n'y avait pas qu'au Québec où les choses avaient changé... L'Olympia n'était plus l'Olympia auquel nous étions habitués.

En arrivant, nous avons appris que la salle avait été louée par la vedette Dalida, pour le temps de l'engagement. Ça changeait tout! De plus, il y avait d'autres artistes qui possédaient, eux aussi, un contrat qui disait: «En vedette américaine». Le chanteur Mike Brant insistait pour que ce soit son nom qui figure sur l'affiche, mais nous nous sommes plaints. On a alors remplacé le sien par le nôtre. Mais, un peu plus tard, en sortant du restaurant, nous avons constaté qu'on avait enlevé notre nom, alors que celui de Mike Brant brillait de tous ses feux.

Nous nous sommes regardés en pensant la même chose: «Nous ne jouerons pas aux fous toute la journée comme cela.» Mais nos ennuis ne faisaient que commencer. Nous avions préparé un numéro d'une vingtaine de minutes environ.

— Les Jérolas, il vous faudra couper votre numéro de dix minutes au moins et pas d'imitations!

C'est le gérant de Dalida — en l'occurrence, c'était son frère qui s'adressait à nous d'une voix pointue. Alors là, il ne connaissait pas Jean! Celui-ci l'a pris par le collet, l'a soulevé de terre en lui disant:

— Tab... si tu penses qu'on est venus icitte du Canada pour se faire écoeurer par un gars comme toé.... j'ai des petites nouvelles! Je m'en vas te faire faire un tour dans la troisième rangée, puis le voyage tu vas le faire sur la tête hos...

Puis il l'a lâché. Le petit imprésario était tout énervé. Il criait:

— Qu'est-ce qu'il a dit? Qu'est-ce qu'il a dit?

— Il vous fait dire qu'il n'est pas d'accord, lui expliqua M. Marouani.

Finalement, le soir de la première est arrivé. Quel désastre! J'ignore si quelqu'un avait été payé pour nous boycotter, mais nous n'étions pas montés sur la scène, que déjà ça criait: «Chou...» dans la salle. Un autre a hurlé: «Ma carabine...» J'avais l'impression de rêver. Mike Brant, qui passait avant nous, avait fait une imitation de Louis Armstrong, donc nous ne pouvions faire la nôtre et je suis certain qu'il l'avait fait exprès.

Nous n'étions pas habitués à une telle réception et c'était le soir le plus important, le soir où les journalistes étaient dans la salle. À ce moment-là, Andrée Peltier, l'attachée de presse, était de passage à Paris et elle avait remarqué que le «vrai» public avait marché les autres soirs. Mais ça partait mal pas pour rire. À la fin de notre première chanson, nous nous sommes arrêtés net, en fixant la salle... sans rien dire... Puis Jean a fait une chose pour laquelle je l'ai admiré. Il a regardé tout le monde et il a dit:

— Nous sommes ici pour faire un spectacle et nous allons le faire jusqu'au bout... que ça vous plaise ou non. Et nous ne jugerons pas le peuple français par quelques...

De nombreuses personnes avaient applaudi.

Mais il était clair qu'une «claque» avait été organisée. Était-ce par Mike Brant ou Dalida elle-même? C'était possible car nous avions entendu dire que, souvent, de grandes vedettes faisaient huer les spectacles qui les précédaient, histoire de se rehausser par la suite.

En tout cas, après la représentation nous étions pas mal bouleversés. Jean a donné un coup de pied dans une porte tellement il était enragé. Résultat? Une cheville brisée et un pied dans le plâtre. Ça allait réellement bien Mais nous avons persisté et ça a été mieux... en fait... ça ne pouvait aller plus mal que cette première. Les gens appréciaient le fait que Jean travaille malgré l'inconfort du plâtre. Sur la scène, nous faisions des allusions drôles du genre:

— J'savais pas que t'avais les chevilles si délicates...

— J'savais pas que les portes de l'Olympia étaient si dures...

Mais il y a eu de bons moments. Nous avons été reçus par Roger Pierre et Jean-Marc Thibault à leur émission télévisée dont Nana Mouskouri était la vedette. Ils nous avaient demandé de leur donner un exemple des «sacres» bien québécois. Ils disaient que c'était mignon en ajoutant:

— Il n'y a pas à dire, vous êtes pas mal pieux, vous autres.

Ils avaient même essayé de parler à la québécoise en nous présentant:

— Voici deux hos... de cal... de bons fantaisistes qui nous arrivent d'un pays où y fa ben frette en tab...

Nous sommes les seuls à avoir ri. Les autres n'ont rien compris. Ils ont vite laissé tomber. Nous les avions prévenus, d'ailleurs.

Nous avions tout de même revu en studio des gens que nous n'avions pas vus depuis longtemps. Ainsi, Marie-France Beaulieu, l'ex Miss Canada, qui tournait un film avec Jean Marais à ce moment-là, était venue nous saluer. Jean Dalmain également s'était déplacé pour venir nous offrir ses bons vœux. Ça nous avait remonté un peu le moral.

Malgré tous les emmerdements que nous avions eus, nous avions donné nos 13 soirées de spectacle de façon impeccable et nous avions été chaleureusement applaudis tous les soirs. Les dirigeants de l'Olympia voulaient même nous faire signer un nouveau contrat pour deux autres semaines en 1975. Mais avions-nous le goût d'y retourner?

Malgré les petits problèmes de la première, nous sommes revenus bien contents de notre voyage. Les critiques avaient été excellentes et, dans l'avion, nous avions parlé de tout cela avec Edward Rémy. Dans le temps, il écrivait pour *Échos-Vedettes* et avait fait une excellente série d'articles sur notre passage à l'Olympia. Ah... qu'il était amusant! Et aussi «commère» dans ce temps-là encore plus qu'aujourd'hui. Il se déplaçait d'un siège à l'autre, il parlait à tout le monde, cherchait des nouvelles, furetait, etc. Et à l'arrivée, un gros party nous attendait à la Brasserie Molson où nous avons dignement fêté.

CHAPITRE 11

JEAN TRAVAILLE SEUL AU CINÉMA

De retour de l'Olympia, nous avons été mieux que reçus au Québec, car la publicité avait eu des retombées publicitaires très favorables. Et la routine s'est installée, si on peut parler de routine dans le monde du show business. Il y avait des hauts et des bas, mais nous nous étions faits à cette vie.

L'aventure du cinéma nous tentait et quand on nous a offert les rôles principaux dans le film *The Winner* ou *Albert Lagrenouille,* nous avons immédiatement accepté. Il s'agissait d'un long métrage dans lequel se déroulaient les aventures très spéciales de trois chauffeurs de taxi. Inutile de vous dire que c'était un film drôle puisque René Caron, Paul Berval et Yvon Leroux y étaient en vedette.

Je n'oublierai jamais la scène dans laquelle Denise Proulx, supposément morte, gît dans son cerceuil. Nous sommes réunis autour et nous récitons le chapelet. René Caron faisait tellement de folies que moi, je priais pour vrai, histoire de ne pas éclater de rire en plein tournage.

En tout cas, le film tourné en anglais parlait de la religion d'une façon assez sarcastique et c'est sans doute la raison pour laquelle il n'a jamais vu le jour. Donc, ne cherchez pas où vous l'avez vu.

Les journées se suivaient et ne se ressemblaient guère. Nous allions dans les endroits super-sophistiqués, nous avons fait énormément de spectacles de charité et nous avons même travaillé dans une grange une fois... avec le foin et les animaux dedans. Quand une vache meuglait, Jean répondait «Meuhhh». Au beau milieu d'un sketch, on entendait le téléphone sonner. Alors, Jean s'interrompait et disait:

— Jérôme veux-tu répondre au téléphone? Dis-leur que je fais dire que je ne suis pas là!

Nous ne manquions jamais l'occasion d'utiliser les éléments insolites et inattendus qui se présentaient.

Il y avait beaucoup de variété dans notre vie... sans jeu de mots. Ainsi nous avons fait de randonnées en ski pour les compétitions Molstar, puis nous avons reçu une offre que j'avais trouvée vraiment alléchante. Les Forces armées canadiennes nous ont demandé d'aller donner un spectacle au Groenland, mais Jean avait tellement peur de prendre l'avion que nous avons dû refuser. Quel dommage! Roger Baulu et Jacques Normand avaient pris notre place. Ils avaient adoré leur voyage et Jacques Normand était en ébullition:

— Vous savez, il y avait une fille qui faisait le trottoir là-bas.

— Combien chargeait-elle pour une nuit?

— Elle m'a demandé 200 $.

— Et qu'as-tu fait?

— Je lui ai dit que c'était trop cher et je l'ai regretté en maudit quand j'ai appris que les nuits durent six mois là-bas.

À ce moment-là, tout ce qui touchait aux politiciens dans notre spectacle amusait énormément les gens. Nous avions donc monté un show dans lequel ces derniers se faisaient un peu accrocher. Ainsi, il y avait une chanson que nous disions avoir été écrite par Jean-Jacques Bertrand, laquelle était dédiée à Bourassa. En voici le début chanté sur l'air de *Même en 100 ans...*

«Même en quatre ans, tu n'auras pas le temps, tu n'auras pas le temps, d'aller chercher des capitaux étrangers.» Je dois dire que la collaboration de Gilles Richer avait été précieuse pour ces chansons. Il y avait également sur l'air de *Alouette:* «Ah! Caouette... ah! Caouette... tu nous embêtes quand tu te fais aller les baguettes...» Et quand Jean Cournoyer avait laissé tomber l'Union nationale, j'avais écrit sur l'air de la célèbre chanson de Roger Whittaker: «Moi j'ai quitté mes amis bleus...»

Le plus drôle c'est que nous étions très souvent invités à des réceptions de politiciens. Nous avions même été chez Robert Bourassa à Sorel, chez Claude Wagner, chez Jean-Jacques Bertrand et chez Gabriel Loubier, entre autres. Nous avions d'ailleurs dédicacé une chanson à Wagner sur l'air de *Tous les deux sur la plage... ils marchaient sur le sable.* Ça donnait quelque chose comme ceci: *«Les deux pieds dans la même bottine, il marchait sur Lesage.»* L'épouse de Monsieur Wagner n'avait pas trop apprécié notre sens de l'humour, semble-t-il.

Même Pierre Elliott Trudeau n'y avait pas échappé. Voici les paroles que nous chantions sur l'air de *Allons à la Ronde...* Nous disions que c'était PET qui l'avait composée.

J'en ai assez de vos bombes... vos bombes... vos bombes...

Moi je tiens à ma peau

J'aime mieux faire la bombe

Avec Louise Marleau....

Et Jean enchaînait en imitant la voix de Trudeau: «Et la tête... et le bec... et le dos... Marleau...» Le jour de la démission de Cliche, nous avions commencé à parler du dernier succès de librairie qui s'appelait: *The quiet days of Cliche.* Vous voyez le genre! Une autre chanson que les gens adoraient également c'était celle que nous avions composée immédiatement après le départ orageux du Général de Gaulle.

> «Je commencerai ma prise de bec
> À Québec
> En passant par Trois-Rivières
> Que je libère
> Et je ferai à Montréal
> Un beau scandale
> Pis à Ottawa
> J'irai pas
> Voilà, voilà
> Un beau voyage au Canada»

C'était toujours vivement applaudi et, souvent, nous n'y allions pas de main morte. Ainsi, nous disions toujours que la chanson que Gilberte-Côté Mercier aurait aimé dédier aux politiciens était «Adieux, jolis bandits!» Et dans un sketch, les gens riaient et applaudissaient quand Jean, d'une voix de stentor, s'écriait: «*Je m'en vas léguer ma face de bois à Lesage.... comme ça, ça lui en fera trois.*»

Il est difficile de décrire tout ceci car il y avait beaucoup d'éléments visuels pour accompagner les sketches. Et les grimaces de Jean... il pouvait prendre un texte assez fade et le présenter de telle façon que les gens se roulaient par terre.

Ainsi, vous auriez dû l'entendre et le voir dans son discours à la Lesage: «Moi et mes alcooliques... pardon, mes acolytes... nous vous jurons que jamais Lévesque sera un Cardinal. Nous n'avons rien contre le dimanche des rameaux, même si nous avons perdu Lapalme, mais il y a d'autres munitions, d'autres Arsenault même si c'est Bona rien.»

À travers tout ceci, il y avait tout de même une chose que j'admirais chez Jean, à part son talent, bien entendu. Il avait de l'entregent comme ça se rencontre rarement. Il arrivait à se lier d'amitié avec tout le monde... dans les cabarets, il jasait avec les clients... dans les réunions importantes, il se faisait copain en un rien de temps avec les plus hautes personnalités.

J'avoue bien franchement que j'aurais aimé avoir la moitié de l'audace qu'il avait. Même quand il a rencontré Robert Bourassa... ça n'a pas été long que les deux se tutoyaient: «Toi, Robert, tu devrais faire ceci ou cela...»

Peu de temps après notre série de spectacles chez les politiciens, Jean a composé et endisqué une petite chanson intitulée: «Je vis dans un pays.» Je suppose que c'était pour faire plaisir au Premier ministre, mais ça nous a valu pas mal d'ennuis.

Au début, je n'avais pas trop réagi, j'avais même accompagné Jean à la guitare en studio. Mais, tout à coup, j'ai réalisé quelles implications ça pourrait avoir sur la carrière des Jérolas de produire une chanson dite pro-fédéraliste ou pro-libérale. Nous étions des musiciens et non des politiciens. J'en avais parlé à Jean qui m'a dit que ça ne concernait que lui et non pas les Jérolas. Mais Charlemagne, lui non plus, n'aimait pas l'idée. Il avait dit à Jean:

— Ce n'est pas habile d'impliquer les Jérolas dans la politique et vous risquez de vous aliéner une bonne partie de votre public.

Et, comme prévu, il y avait eu de fortes réactions, surtout au niveau de la presse écrite. En octobre 1973, les manchettes pouvaient se lire ainsi: «Une gaffe coûteuse de Jean Lapointe.»... «Les Jérolas viennent de se couper d'une grosse partie de leur public.»... ou pire. «Cette erreur risque d'hypothéquer leur carrière à jamais.»

Le téléphone ne dérougissait pas chez moi: «Comment peux-tu laisser ton partenaire faire une chose pareille? Chez Charlemagne, c'était la même chose, mais nous ne pouvions tout de même le bâillonner. Jean crânait en disant: «Est-ce qu'il faut se cacher parce qu'on est libéral?»

Même les amis de Jean, qui avaient une idéologie séparatiste ou indépendantiste, s'éloignaient de lui. Félix Leclerc qui allait manger chez Jean, parfois, lui avait dit: «Continue de faire des gaffes, mon Jean, ça donne toujours du positif à la fin, tu ne penses pas?» Il y avait également eu un froid, car Félix ne cachait pas de ses opinions politiques dans le temps.

Ça avait fait pas mal de bruit cette histoire-là. Et ce qui me choquait c'est que je n'étais tout de même pas impliqué, mais ça me retombait sur le dos. Ainsi, CKAC s'était engagé, à titre de commanditaire, pour notre prochain spectacle à la PdA. Mais il se demandait si oui ou non il pouvait faire jouer cette chanson-là sur les ondes ou la retirer. Comme elle était considérée «électorale», ça n'a pas aidé pour la promotion du spectacle. Et je ne puis exprimer ce que j'ai ressenti quand les patrons du Patriotes ont annulé notre contrat parce que «nous» étions des étrangers au Québec. Je n'étais pas content du tout de payer pour les pots cassés, car je considérais que cette histoire-là ne me concernait pas.

Comme par hasard, peu de temps après, on accorde à Jean une concession de Loto-Québec. C'est le genre de «fiole» qui rapporte quelque chose comme 100 000 $ par année... en ne faisant pas grand-chose. Là, encore, les journaux se sont emparés de l'affaire et les commentaires n'étaient pas toujours favorables... loin de là. Et on parlait des Jérolas, non pas de Jean Lapointe, comme si j'avais été un complice, en quelque sorte. Tout ceci ne m'avait apporté que des emmerdements, et pas autre chose, je puis bien le dire aujourd'hui.

Le fait d'avoir cette concession, ça a eu une drôle d'influence sur le caractère de Jean: c'est difficile à expliquer. Je pense qu'il n'a pas «porté» l'argent! Il semblait se désintéresser de plus en plus des Jérolas; il était devenu plus grognon et plus bourru.

Puis, il s'est mis à travailler seul au cinéma. Je dois avouer que cette nouvelle orientation m'a fait peur. J'y ai vu le commencement de la fin des Jérolas, ce en quoi je ne me trompais pas tout à fait.

Son caractère changeait également. Il ne cessait de me dire qu'il tenait au duo et que ce n'était qu'au cinéma qu'il tenait à travailler seul. Il s'en prenait souvent à Charlemagne et ne voulait plus avoir affaire à lui. Il avait même été jusqu'à dire que si j'insistais pour le garder, ce serait une raison pour lui de casser le duo. Mais je n'avais pas pris ces paroles au sérieux. Pas Charlemagne... qui nous avait tellement aidés. Mais les choses allant de mal en pis, Charlemagne et moi, pour tenter de sauver les Jérolas, nous avons demandé et obtenu un rendez-vous avec Robert Bourassa. Nous voulions lui expliquer la situation.

J'ai loué un Aztec (bi-moteur) à Sainte-Thérèse Aviation et nous voilà partis pour l'Aréoport de l'Ancienne-Lorette. Arrivés au bureau de Robert Bourassa, c'est Charlemagne qui a pris la parole:

— Monsieur Bourassa, nous sommes venus vous voir parce que le bateau «Jérolas» est en train de couler et que nous pensons que vous pourriez peut-être nous aider à l'empêcher de sombrer.

Et Charlemagne avait précisé que ce n'était pas une question de jalousie.

— Depuis que Jean est appuyé sur cette concession, il ne veut rien savoir et ne respecte même plus ses engagements comme Jérolas. Pensez-vous qu'une bonne frousse, par exemple, pourrait le rendre plus conscient?

Après avoir réfléchi une minute, Monsieur Bourassa nous avait répondu:

— Ça serait bien dommage qu'une aussi belle association se brise. Ecoutez, je vais y penser sérieusement et parler à Jean, voir ce que je pourrais faire afin qu'il redevienne plus sérieux dans son travail.

— Vous savez, d'ajouter Charlemagne, je trouve bizarre que les libéraux donnent quelque chose à un membre d'une association sans penser aux autres mem-

bres de la même association. J'arrive à 65 ans et j'ai toujours beaucoup travaillé pour les libéraux. Que diriez-
vous d'une petite concession pour Jérôme et moi?

— Je pense que vous avez raison. Rappelez-moi
dans trois mois.

Inutile de dire que nous sommes sortis enchantés, et
surtout optimistes, du bureau du Premier ministre. Nous
rêvions en couleur, Charlemagne et moi. Nous nous
voyions déjà un petit peu plus indépendants... nous faisions des projets. Les trois mois écoulés, nous avons rappelé Monsieur Bourassa, mais ce fut impossible de lui
parler. Et de trois mois en trois mois, un an s'est écoulé.
Autrement dit, Monsieur Bourassa, nous ignorait tout
simplement.

Quand nous avons finalement réussi à lui parler,
après avoir été le relancer jusqu'au Parlement, il ne voulait plus rien savoir de nous. J'avoue que j'ai été plus que
surpris car, dans ma naïveté, je pensais que quand un
Premier ministre donnait sa parole... il la tenait. Et le
pire, c'est que cette affaire-là s'est retournée contre nous.
Jean nous a accusés:

— Vous êtes allés à Québec voir Bourassa pour me
faire perdre ma «route» de Loto-Québec.

— Non, Monsieur, demande à ton ami Robert de te
dire la vérité. Nous n'avons rien dit contre toi...

— En tout cas, ne vous attendez pas à avoir quelque
chose, c'est moi qui vous le dis.

Alors que nous étions au lac Brompton, il s'était
produit un incident, cocasse et désagréable à la fois.
Nous faisions notre fameux *Tribunal des Vedettes*. Sur la
scène, on avait monté une lourde charpente en bois en
guise de tribunal. Jean se donne un bon élan pour y monter mais, ayant mal calculé son coup, lui et la tribune ont
basculé dans la salle en faisant un vacarme incroyable. Ce
fut la pagaille dans la place, les spectateurs étaient
effrayés, tout le monde s'est mis à crier. Résultat? Une
jeune fille a eu un orteil cassé (ça aurait pu être pire) et

Jean s'en est tiré avec une action de quelques milliers de dollars.

Ce fameux *Tribunal des Vedettes* avait fait couler pas mal d'encre. Un microsillon en avait été tiré d'ailleurs et vous auriez dû nous voir l'allure avec nos perruques de juges. Notre sens de l'humour caustique faisait rire même s'il choquait parfois. Ainsi, nous «jugions» Marc Gélinas:

— Accusé, à la barre s.v.p.

— Au bar? Avec plaisir.....

Et Marc (moi) tenait une bouteille dissimulée dans son dos et le juge (Jean) la confisquait et buvait le tout avec une satisfaction évidente pendant le «procès».

— On vous a trouvé «gelé» sur un banc de parc?

— Ben oui, j'avais froid.

— Ici il est écrit que vous étiez chaud.

— On va vous mettre la corde au cou.

— Vous allez frapper un nœud.

Il y avait de bons gags je dois l'avouer.

— Voici le greffier!

— Vous vous êtes fait faire une drôle de greffe?

Beaucoup de vedettes furent jugées à ce Tribunal. Il y avait le cas d'Yves Montand et de son épouse; ils s'ignoraient (Signoret). Et la profession de Séraphin Poudrier? «Masson!»

Jean y allait également de ses imitations dont celle, fort populaire, de Félix Leclerc.

— Comment avez-vous commencé à chanter, Monsieur Leclerc?

— En ouvrant la bouche. Je vois que vous avez une chaise politique?

— Comment cela?

— Elle est croche.

Même Charlemagne n'y avait pas échappé. Je disais à Jean:

— Savais-tu que notre gérant est un mécène?

— Je le sais, de répondre Jean, il est à Miami avec mes cennes.

Mon partenaire n'avait pas son pareil pour entraîner la foule. Sa bonne humeur était communicative. Ainsi, quand il faisait son imitation de Bourvil, il encourageait les gens à chanter avec lui en criant: «Plus fort... plus fort.» Alors tous y allaient à fond de train et chantaient à pleins poumons. Alors, là, Jean s'arrêtait net et les engueulaient:

— Voulez-vous chanter moins fort, vous m'enterrez, voyons.

Nous étions très applaudis et nous devions toujours revenir en rappel. Et Jean disait:

— Je ne sais pas pourquoi vous vous fatiguez à applaudir comme ça, on serait revenus de toute façon.

Je pense malgré tout que nos improvisations étaient plus fortes que tout le reste. Ainsi, des fois, j'ai vu Jean marmonner une chanson plutôt que d'en apprendre les paroles par cœur. Moi, après lui, je faisais la même chanson en exagérant son marmonnement. Notre public était donc toujours très attentif car, avec notre sens assez spécial de l'humour, il ne savait jamais à quoi s'attendre et il suivait toutes nos folies avec beaucoup d'intérêt.

CHAPITRE 12

LE COMMENCEMENT
DE LA FIN

Côté travail, nous n'avions pas à nous plaindre, mais, depuis l'affaire Bourassa, il y avait comme un froid entre Jean et moi. Étant tous deux des professionnels, habitués à travailler ensemble, ce malaise ne se sentait aucunement quand nous montions sur la scène.

Nous nous préparions pour notre spectacle qui devait tenir l'affiche à «Wilfrid-Pelletier» du 23 au 28 octobre 1973. Donc, froid ou pas, il nous fallait travailler fort et monter un nouveau spectacle. Ce nouveau «show», nous avions été le roder à Québec avant de le présenter à la Place des Arts et il avait été fort bien reçu par les Québécois. Je sais, d'ailleurs, que les Québécois adorent ce statut de «rodeurs de spectacles» qu'ils considèrent, à juste titre comme un privilège. Avoir la primeur d'un événement, c'est toujours quelque chose.

Nous avons accordé beaucoup d'entrevues avant ce spectacle et beaucoup de gens se demandaient pourquoi c'était presque toujours Jean qui parlait. Il faut dire que des intervieweurs comme Lise Payette ou Jacques Normand, c'étaient pas mal «sataniques».

Mais Jean avait une aisance, une verve incroyable et il avait toujours réponse à tout. Je me rappelle que la journaliste Raymonde Bergeron m'avait demandé les raisons de mon silence. Je lui avais répondu:

— En entrevues, quand je suis seul, je suis bien meilleur. Je suis conscient du fait que je n'ai pas une diction extraordinaire et, quand j'y pense... ça me fait bafouiller. Et quand je bafouille, Jean prend la parole pour m'aider et ça me met dans une situation encore plus embarrassante. Alors tant qu'à commencer quelque chose que je ne suis pas en mesure de terminer, je préfère me taire. Et vous, vous avouerez que mon partenaire est plus drôle que moi et qu'il s'exprime plus facilement.

Plusieurs m'ont souvent demandé si ça me dérangeait d'être, d'une certaine façon, dans l'ombre de Jean, le «deuxième» du duo, quoi. Il ne faudrait pas croire que Jean «tirait sur la couverte», comme on dit. Mais quand on travaille à deux, il y en a toujours un qui doit être ce qu'on appelle le *straight man*. Dean Martin l'a fait quand il travaillait avec Jerry Lewis. Si ça m'avait dérangé, je ne l'aurais pas fait, mais Jean étant un leader naturel ce que nous faisions était logique.

Au fur et à mesure que nous avancions dans la vie, nos caractères différaient de plus en plus. Par exemple, j'étais assez solitaire et je ne recevais que des amis soigneusement choisis. Jean, de son côté, recevait fréquemment un peu tout le monde. Il fonçait de plus en plus; moi, j'avais conservé ma timidité initiale. De plus, je m'inquiétais facilement pour l'avenir tandis que Jean ne cessait de répéter: «Moi, je considère que je suis toujours en vacances.»

Puis, Jean a reçu une offre pour le film *Les Ordres* et le tournage a débuté presque en même temps qu'une tournée que nous devions effectuer dans la région du lac Saint-Jean.

Jean, il est vrai, a fait son possible pour ne pas tourner les jours où nous donnions des spectacles. Mais tout cela était doublement épuisant pour lui, et je n'en revenais pas de voir jusqu'à quel point il avait de l'endurance. Cet homme-là avait une santé de fer pour mener un train de vie aussi épuisant. Mais fort ou pas, le film, les spectacles, ça avait été un peu trop pour lui, je pense, et il était crevé, d'une humeur massacrante. Il n'était pas à prendre avec des pincettes et les musiciens et moi avons poussé un soupir de soulagement quand le film a été terminé.

Entretemps, nous avions signé un contrat pour aller travailler à Sept-Iles.

— Jean, je sais que tu as terriblement peur en avion, mais aimes-tu l'idée de te taper dix heures d'affilée en automobile? Mon avion est rapide (j'avais loué un Atzec) et nous pourrons être là en deux heures et demie à peu près... sans escale!

— Je sais bien, tu as raison... ce n'est pas que je n'ai pas confiance en toi... Je vais prendre une couple de valiums avant de partir, comme cela, je serai moins nerveux.

Finalement, terrorisé, il se décide à monter dans l'avion. Il avait dû prendre une quantité incroyable de valiums depuis la veille du départ tellement il avait peur. Il s'est endormi profondément, presque tout de suite. Je le regardais, apitoyé: «Pauvre lui, ça ne doit pas être drôle d'être organisé comme cela. En tout cas, j'aime mieux le voir dormir que trembler de peur tout le long du trajet.

En raison du tournage du film, des nombreux engagements et du voyage en avion en plus, Jean était on ne peut plus nerveux et stressé. Nous étions à peine arrivés là-bas que, déjà, il commençait à s'inquiéter du voyage de retour. Et c'était toujours quand il était extrêmement fatigué et angoissé que Jean buvait le plus. Et avec ses nombreux voyages, les horaires chargés, il avait pratiquement laissé tomber les réunions avec les gens qui l'aidaient tant. Dommage, car ça l'avait beaucoup aidé.

En tout cas, je pense qu'il n'y a rien de pire que le sentiment d'impuissance que l'on ressent quand on voit s'enfoncer une personne que l'on aime, sans pouvoir faire quelque chose pour l'aider.

À peine arrivé à l'hôtel, après notre spectacle au Lido, j'entends un bruit sourd dans la pièce d'à côté. Je me lève rapidement pour aller voir ce qui se passait.

Jean gisait par terre, le visage blanc comme un drap. L'alcool et les valiums... un mélange puissant et dangereux... Je lui ai rapidement appliqué des compresses froides sur le front et lui ai donné quelques petites claques dans la figure. Il s'est aidé un peu et j'ai réussi à le traîner jusqu'à son lit où il a rapidement sombré dans un sommeil comateux. Je l'avais pourtant vu dans cet état plusieurs fois, mais je ne sais trop pourquoi, ce soir-là, il m'a semblé pire que jamais auparavant. Agenouillé au pied de mon lit, j'ai prié pour lui avant de me coucher.

Le lendemain, c'était le party au Lido et, dans les coulisses, ça fêtait pas mal fort. Les musiciens, Jean et moi-même nous avons bu pas mal et, après, nous sommes allés dans un bar. À quel moment et pourquoi nous sommes-nous engueulés Jean et moi? Je ne saurais le dire, mais ça criait pas mal fort et, aux petites heures du matin, j'ai décidé d'aller prendre l'air dehors. Le soleil se levait lentement sur la mer, derrière les îles, et ce spectacle était de toute beauté.

Tout à coup, je me rends compte que, le soir même, nous devions travailler à Blainville. Idéalement, nous aurions dû prendre le chemin du retour presque immédiatement.

— Jean, nous partons tout de suite pour Montréal!

— Es-tu fou? Tu es tombé sur la tête.,.. Allez-vous-en tous si vous voulez, moi je vais dormir un peu puis je rentrerai avec Québecair.

Mais je savais trop bien que, si je le laissais là, il allait retourner vers ses copains de la place et que jamais il n'arriverait à temps. Ou s'il arrivait à temps, dans quel état serait-il? Heureusement que j'ai un tempérament calme et serein de nature, car le stress du métier était déjà assez difficile à surmonter sans y ajouter celui d'avoir à m'occuper de Jean. À certaines heures, j'avais l'impression d'être un *baby sitter*.

Je réfléchissais au problème... comment ramener Jean... quand j'ai eu une idée brillante.

— Viens dans ma chambre, Jean!

Je venais de me rappeler qu'il me restait quelques onces de cognac dans ma valise.

— Je te le donne si tu viens avec nous.

Ça a marché!

Arrivés à Dorval, Jean ne tenait pas beaucoup sur ses jambes. Un des musiciens a offert d'aller le reconduire chez lui et, le soir même, j'étais au travail mais Jean brillait par son absence. Je me rends à toute vitesse chez lui et je sonne... je sonne... pas de réponse. Finalement, quand il est arrivé à la porte, il dormait debout. Je n'ai pas besoin de vous dire quel genre de spectacle nous avons donné ce soir-là.

Les choses allaient en empirant. Le pauvre Jean a réellement tout essayé pour s'en sortir... désintoxication, traitements, médecins, etc. Mais il retombait toujours, après des périodes plus ou moins longues d'abstinence. Un soir, alors que nous jouions à Grand'Mère, Jean avait bu et joué au poker toute la nuit et il était tellement fatigué qu'il n'arrivait même pas à se rappeler les paroles de Méo Penché que nous chantions pourtant depuis de nombreuses années.

J'ai beau être patient, j'avoue que, par moments, j'en avais par-dessus la tête. Une fois, il était tellement «mêlé» qu'on aurait dit qu'il faisait tout pour saboter le spectacle. Je lui chuchotais à l'oreille:

— Si tu n'arrêtes pas, je vais débarquer et te laisser seul sur la scène.

Il a continué de faire ses folies et pendant un *black out,* au moment où toutes les lumières étaient éteintes, j'ai quitté la scène et l'ai laissé là tout seul. Au fur et à mesure qu'il continuait le spectacle, les gens se levaient et demandaient à être remboursés avant de s'en aller. Le patron était furieux, avec raison, et il avait soustrait 400 $ sur notre paye. J'avais absorbé la moitié de la perte. Et ce n'était pas la première fois que ce genre de chose se produisait.

La situation se détériorait rapidement, mais Jean faisait de sérieux efforts pour se raccrocher. À un moment donné, il a eu une assez longue période d'abstinence et je me suis dit... qu'enfin... il avait compris qu'il n'était plus capable de boire. Je relaxais, j'étais moins nerveux, je travaillais mieux.

Mais un soir, au motel Hélène, j'ai cru faire un cauchemar quand j'ai aperçu, bien installé au bar, Jean qui buvait du cognac. Il ne restait que cinq minutes avant le spectacle. Je ne sais pas si c'est le choc ou le fait que je commençais à en avoir réellement assez, mais je suis allé trouver la patronne:

— Madame Keet, annulez l'engagement de cette semaine tout de suite. Il vaut mieux décommander que de déplaire à votre clientèle en offrant des shows plutôt minables. Moi, je m'en retourne à Montréal et je vous rappellerai plus tard.

— Mais, Jérôme, vous ne pouvez me faire cela, voyons donc. Je ne puis vous remplacer à la dernière minute. Faites toujours le premier spectacle et nous verrons comment ça va aller.

— Si vous insistez, mais n'allez pas dire que je ne vous aurai pas prévenue.

Comme je l'avais prévu, Jean était dans un piteux état. Il avait même voulu se battre avec moi avant le show. J'ai réussi à éviter les coups, mais ce fut très dur comme affrontement. Je ne pouvais tout de même taper dessus, mais il était comme un fou furieux. Après, il s'est calmé et il s'est mis à sangloter.

— Qu'est-ce que j'ai fait... mon partenaire?... J'ai essayé de te battre... non...

— Oublions cela, Jean, et pensons surtout au public. Te sens-tu d'aplomb? O.K., viens on va aller donner un bon show.

— Oui... excuse-moi, Jay...

Et nous sommes montés sur la scène. J'avais les nerfs pas mal en boule. Je «conduisais» Jean car j'avais fait une sorte de «poignée» avec son veston, dans le dos. Comme cela, au moins, le public ne s'apercevrait peut-être pas trop qu'il avait de la difficulté à marcher.

Nous ne nous en étions pas trop mal tirés ce soir-là, malgré tout, mais il y avait les autres soirées à venir. Ce n'était pas la première fois que nous nous produisions au motel Hélène et l'engagement précédent avait été complètement raté. Madame Keet n'était pas trop contente, et elle avait raison. Et comme Jean était reparti, il y a eu une couple de soirs où les spectacles ont été ratés.

C'est à ce moment que le «cancer» qui allait détruire les Jérolas a fait son apparition. Madame Keet avait décidé de prendre les grands moyens.

— Jérôme, ce n'est pas la première fois que je me fais avoir mais, cette fois-ci, il n'est pas question que je vous paie le montant de votre contrat. J'ai été obligée de remettre l'argent à des clients mécontents et la publicité n'est pas bonne du tout pour moi. Nous étions convenus d'un montant de 5 500 $ mais je vais déduire 1 500 $ de ce montant.

— Madame Keet, je ne puis vous blâmer de vous plaindre, mais je trouve que 1 500 $ c'est trop. Je dirais que, dans les circonstance, 500 $ ça serait raisonnable.

— Allons voir Jean et nous allons en discuter.

Jean était assis dans la salle déserte en train de causer avec sa femme qui était venue nous rejoindre.

— Jean, je voudrais vous dire que je dois couper votre salaire.

— Comment cela?

— Vous le savez très bien.

— Voyons donc, les spectacles du mercredi, jeudi et vendredi ont peut-être été un peu faibles, mais la fin de semaine a été parfaite...

— Arrangez ça comme vous voudrez, je vais enlever 1 500 $ de votre cachet.

— Madame Keet, lui dis-je, j'ai mentionné tantôt que 500 $ ce serait suffisant comme coupure.

J'ai vu des flammèches dans les yeux de Jean qui m'a regardé d'un air soupçonneux. Pensait-il que j'avais manigancé quelque chose avec la patronne? À ce moment-là, il était pas mal à l'envers, il avait peur de tout, se méfiait de tout le monde, etc. Il s'est brusquement levé et a dit qu'il allait téléphoner à Charlemagne. Ce dernier, à son tour, a demandé à me parler. Il m'a répété les mêmes arguments qu'il m'avait servis tant de fois:

— Écoute, Jérôme, des incidents du genre, il y en a eu souvent dans le passé. Essaye donc d'arranger cela, et pour ne pas avoir de conflit avec ton associé, je te suggère d'absorber une partie de la coupure du salaire avec Jean.

Je ne sais trop ce qui s'est passé dans ma tête à ce moment-là. On dit qu'il n'y a rien de pire qu'un homme patient qui est écœuré. Des tas d'images ont déferlé dans ma tête... NEW YORK... PARIS... CANNES... les engueulades des patrons insatisfaits... les engagements annulés... les performances que j'avais été obligé de donner seul... bref, je ne voulais plus rien savoir et j'ai refusé net.

— Il n'en est pas question, Monsieur... pas cette fois-ci, j'ai mon voyage. J'en ai assez de manger de la m... et de travailler dans ces conditions-là. Le métier est assez dur comme cela, je ne perdrai sûrement pas une cenne de mon salaire pour tolérer de tels comportements, une minute de plus.

Comme je le disais précédemment, ce n'était pas la première fois que des incidents de ce genre se produisaient, mais c'était la première fois que je réagissais ainsi... J'en avais marre! Il y avait toujours des limites... Je sais que Jean et sa femme ne l'avaient pas digéré, mais j'avais tenu mon bout. J'en avais assez d'être le dindon de la farce.

Jean Lapointe et moi avons toujours aimé les différentes disciplines sportives. C'est ainsi que nous avons maintes fois chaussé les patins pour différentes équipes d'artistes.

Un court séjour à l'hôpital pour Jean.

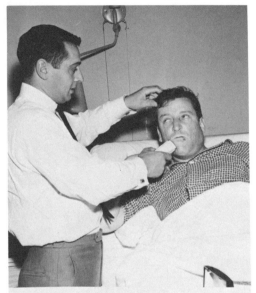

Jean, amateur de golf. Jérôme préférait la chasse.

Les Jérolas furent honorés à Blue Bonnets.

En compagnie de nos épouses à Miami.

Une p'tite partie de golf.

Les Jérolas en ski.

Une vraie partie de pêche. Nous posons avec notre prise.

Un gadget qui ne connut pas la gloire espérée, le gyrocoptère.

Avec les années, je me découvris une véritable passion pour l'aviation.

Au commande d'un appareil, dans le nord du Québec.

Une rencontre sympathique avec le Grand Orange des Expos, Rusty Staub.

Un moment de repos en faisant de l'équitation.

Un magnifique panache.

Maintenant je continue mon métier.

CHAPITRE 13

LA RUPTURE DÉFINITIVE

Nous étions au début de 1974. Les relations étaient de plus en plus tendues entre Jean et moi et les choses allaient se détériorer davantage. Nous devions, cette fois, donner un spectacle au Théâtre des Variétés mais, le soir de la première, je me suis retrouvé avec une laryngite incontrôlable. Me voilà donc complètement aphone... pas un son ne sortait.

Nous avons décidé de donner le spectacle quand même. Je me débrouillais du mieux que je pouvais en faisant des mimiques, des choses visuelles et je jouais de la guitare. Quand est venu le moment d'être payés, c'est Jean qui est allé chercher nos salaires. Il avait prélevé 600 $ sur ma paye et quand j'ai protesté, il m'a tout simplement dit que j'avais moins travaillé que lui durant ce spectacle-là et que, de toute façon, j'en faisais toujours moins et que quelqu'un lui avait même demandé pourquoi il me traînait.

Alors là, laryngite ou pas, j'ai éclaté; les sons sortaient en maudit.

— Comment, tu as été soûl pendant quinze ans sur dix-huit, je me demande bien lequel a traîné l'autre?

Mais j'avais compris que Jean avait l'affaire du motel Hélène sur le cœur. Et je pense que je puis aller plus loin et dire qu'il en avait tout simplement assez et que tous les prétextes étaient bons. Ainsi, il disait souvent qu'il ne faisait pas assez d'argent; nous gagnions environ 150 000 $ par année à ce moment-là. Évidemment, il n'avait pas d'argent car il perdait énormément aux courses, ça je le savais. Je l'ai souvent vu revenir de New York la mine basse et le portefeuille dégarni.

Il y avait également des discussions concernant notre gérant. Dans le fond, Jean ne voulait plus travailler avec Charlemagne, mais je ne l'avais pas compris. Quant à moi, il n'était pas question de le liquider. Cet homme-là avait toujours été sincère et honnête avec nous, il nous avait aidés, il s'était dévoué, mais de cela, Jean n'en a jamais parlé. Je me rendais bien compte que mon attitude pouvait provoquer une rupture, mais je suis fidèle à mes amitiés et à mes associés. Et puis... nous n'avions aucune raison de nous plaindre de Charlemagne. Mais, comme je le disais précédemment, tous les prétextes étaient bons, Jean en avait assez.

Il y avait également le fait que je m'étais fait un numéro à moi pour combler les «vides» laissés par Jean quand il n'était pas bien. Évidemment, ça débalançait un peu le spectacle, car j'étais supposé être le *straight man* mais, des fois, il fallait bien que je compense. Jean n'a pas semblé aimer cela et peut-être a-t-il pensé que je voulais voler la vedette. Dieu sait que j'étais loin de songer à cela.

C'est vers ce temps-là que Télé-Métropole nous a fait une offre sensationnelle. On voulait nous confier une émission de prestige qui s'intitulerait *Parlez-moi d'humour*. Il s'agissait de faire une heure par semaine et les intéressés étaient prêts à nous signer un contrat d'un an, avec option de prolongation. Jamais des artistes n'avaient été aussi bien payés... 3 000 $ par semaine.

L'offre était alléchante et Jean avait accepté verbalement.

Nous avons eu une réunion avec Charlemagne chez Butch Bouchard. Jean a dit qu'il n'avait pas la force de rester enfermé trois jours par semaine dans un studio, qu'il était trop malade, etc. Nous avons refusé Télé-Métropole. Une autre belle occasion de ratée. C'est Yoland Guérard qui a eu l'émission. *L'Univers de Yoland Guérard,* ça a duré trois ou quatre ans. Peu après, j'ai appris que Jean était à l'hôpital et je me suis dit qu'il s'agissait probablement d'une autre cure de désintoxication. J'en étais réduit à imaginer n'importe quoi, car j'étais sans nouvelles de mon partenaire... pas un mot. Avouez que ça faisait drôle, surtout que nous devions célébrer le dix-neuvième anniversaire des Jérolas dans à peu près six mois.

Je téléphonais, je téléphonais... peine perdue. J'ai finalement réussi à rejoindre sa femme le jour de sa sortie de l'hôpital. Enfin, je réussis à parler à Jean qui m'annonce brutalement:

— Tu voulais savoir ce que j'ai? Le duo ne m'intéresse plus du tout!

C'était le 8 juillet. Je n'oublierai jamais cette date. C'était le jour des élections.

Remarquez que je pouvais comprendre que Jean soit malade et fatigué, mais nous étions annoncés en grande vedette à La Butte pour dans deux semaines et toute la publicité avait été faite. On n'a pas fait trop de bruit avec cela à la Butte. Les personnes qui réservaient par téléphone étaient prévenues que, dorénavant, Jérôme Lemay allait probablement se produire seul sur scène.

Le plus aberrant, c'est que, pour un homme qui était trop malade pour travailler, Jean a joué dans le film *Tout feu, tout femme,* peu de temps après.

Entretemps, je commençais tout juste à réaliser l'énormité de ce qui venait d'arriver. Imaginez que vous avez investi dix-huit années de votre vie dans quelque chose et que ça disparaît presque du jour au lendemain, sans avertissement, sans préparation ou compensation aucune. J'ai été comme assommé, je ne comprenais pas trop ce qui arrivait.

Si, encore, je l'avais su un peu d'avance, nous aurions pu préparer le public, organiser la publicité en conséquence, et moi-même j'aurais pu envisager de faire autre chose. Financièrement, j'aurais eu le temps de voir venir; Nous avions fait beaucoup d'argent, mais je menais un gros train de vie, la maison coûtait cher, j'avais ma femme et mes trois enfants à faire vivre. Et puis... est-ce qu'à 40 ans j'allais m'asseoir sur une chaise et regarder le paysage à longueur de journée, moi qui étais habitué à une vie trépidante?

Ce choc m'a drôlement réveillé. Je me suis rendu compte que j'étais en train de m'endormir dans une douce euphorie car les choses allaient tellement bien pour les Jérolas. Jérôme Lemay était seul maintenant! Quand on a travaillé avec un partenaire pendant si longtemps, on se sent bien solitaire tout à coup.

Remarquez que je n'écris pas cela pour le plaisir de me plaindre. D'ailleurs, à ce moment-là, la nouvelle avait fait la manchette de tous les journaux et j'avais dit aux journalistes ce que je ressentais, comme je viens de le faire maintenant.

Imaginez ma stupeur quand j'ai lu, dans le premier compte rendu d'une entrevue que j'avais accordée, que je me plaignais , que je pleurais sur mon sort, etc. J'avoue que je n'ai pas trop compris ce qui était arrivé. Il est certain que le coup avait été dur pour moi et je l'avais dit. Mais, le plus bizarre, c'est que plusieurs journalistes, comme des moutons, ont suivi et c'était devenu une sorte de mot d'ordre de me traiter de pleurnicheur. Je dois tout de même mentionner Denis Tremblay et Gaétan Chabot qui ont toujours su faire preuve d'objectivité et d'honnêteté à mon égard.

Pourtant, je suis bien certain d'avoir tout simplement dit ce que je ressentais. J'étais parfaitement conscient du fait que repartir à zéro c'est pire que débuter! Remarquez que ça ne me faisait pas peur de monter tout seul sur une scène, mais je savais que les gens feraient des comparaisons. Ils chercheraient l'autre.... et moi aussi au début. Quand je me suis retrouvé seul à la Butte, je parlais trop vite, des fois, dans un vain effort pour remplir la scène que je trouvais tout à coup bien grande. Et si c'est ce qu'on appelle se plaindre, alors je me plains et ces mêmes journalistes l'écriront à nouveau.

À part le fait qu'il fallait que je m'habitue à travailler seul, il fallait également que je me trouve un nouveau public. Celui qui avait été fidèle aux Jérolas allait sûrement être déçu de ne pas voir Jean. Ça aussi c'était tout un défi à relever.

Je me souviens que ma toute première réaction n'en avait pas été une d'apitoiement mais de combativité. Je me disais: «Jérôme, tu vas continuer à travailler, tu vas remonter sur les planches le plus vite possible, tu vas redémarrer.»

Il me fallait tout d'abord songer à me préparer un show. Et comme je m'étais toujours comporté en fonction de deux personnes et non pas d'une seule, je me suis aperçu que je n'avais jamais réellement développé Jérôme Lemay. J'avais toujours fait passer les Jérolas avant les personnalités, et ça non plus ça ne m'aidait pas. Il fallait donc que je pense à moi et je n'étais pas habitué à cela.

J'aurais peut-être pu me trouver un ou une autre partenaire. Une des Scarabées m'avait téléphoné et puis mon ancien partenaire Raymond Hébert m'avait proposé de se joindre à moi. Mais les partenaires... j'étais peut-être un peu «mêlé» à ce moment-là. Et puis Charlemagne me le déconseillait, et je me suis laissé influencer par lui. Je me demande parfois si ce n'était pas une erreur. Même à Télé-Métropole, on m'avait suggéré de faire *Parlez-moi d'humour* avec une fille mais j'ai décidé de continuer ma route seul.

Gilles Richer m'a été d'une aide précieuse à ce moment-là, car il m'avait écrit deux nouvelles chansons. Et j'ai travaillé de nouvelles imitations. Malgré tout, pas entraîné à travailler seul, je trouvais cela bien difficile surtout quand je répétais. Je me sentais perdu, et avouez que c'était normal. Et dire qu'aujourd'hui je ne voudrais pas d'un ni d'une partenaire pour tout l'or du monde.

Une chose m'avait amusé. Un mois à peine après notre rupture, j'étais à l'affiche du Patriote, ce même Patriote qui n'avait pas voulu de «nous» lors du scandale de la chanson écrite par Jean pour le parti libéral. Tout en me sentant un peu abattu, je me disais: «Qui sait? Peut-être que dans six mois je dirai que tout ça a été une bonne affaire.»

Ça avait très bien marché au Patriote et le critique anglophone David Magil avait écrit un article fort élogieux sur ma performance. Il avait remarqué, entre autres choses, mon imitation du maire Drapeau.

En tout cas, j'étais troublé par les réactions des journalistes malgré tout. On disait que je voulais «caler» Jean, ce qui n'était pas du tout mon intention. Bref, j'étais devenu le «méchant» alors que je n'avais rien fait d'incorrect, il me semble. En tout cas, ça ne m'a pas empêché de fonctionner, car j'avais un gros défi à relever. Les Jérolas n'étaient plus... il me fallait mettre Jérôme Lemay au monde.

J'en ai donc travaillé un coup et le public réagissait bien. Je mettais le plus d'humour possible dans mon spectacle et je me suis rendu compte que les choses allaient redémarrer pour moi quand j'ai rempli mon engagement au Saint-Paul dans le Vieux-Montréal. Vous me direz que j'étais loin de l'Olympia, mais c'était un retour aux sources et ça m'a permis de tâter le poul de mon public. Ça m'avait redonné confiance en moi-même car la salle était comble tous les soirs et j'avais besoin de savoir si j'étais dans la bonne direction.

Après cela, les choses se sont bien enchaînées. J'avais fait le Grand Théâtre de Québec avec Ti-Gus et

Ti-Mousse et pas de problèmes de ce côté-là. Comme vous voyez, je commençais à remonter la pente. Même que le critique Claude Robert du *Journal de Québec* avait écrit: «S'il fallait choisir entre le spectacle présenté par Jérôme Lemay et Ti-Gus et Ti-Mousse, je pense que j'opterais pour Jérôme Lemay. Plein de vie et d'humour, Jérôme Lemay sait faire vibrer les spectateurs.»

Je dois avouer que j'étais pas mal inquiet avant d'aller à Québec. À Montréal, je connaissais bien le public et je pouvais prévoir et même prédire ce qui marcherait et ce qui ne marcherait pas. Mais il faut savoir prendre des risques dans ce métier.

Juste avant le spectacle, par exemple, je ne sais trop pourquoi, je pressentais que mon imitation d'Yvon Deschamps ne prendrait pas... une intuition, quoi! Le lendemain soir, j'avais décidé de la faire et la seule critique négative que j'ai eue a été celle-ci: «Cette imitation n'est pas assez longue!»

Malgré tout, il y avait des jours où je me sentais pas mal fatigué. J'enfilais alors mes bottes, ma chemise à carreaux, et je me sauvais dans les bois pour refaire le plein. Le contact avec la nature a toujours été essentiel pour moi. Je m'y retrouve, je m'y régénère, j'y reprends de la sérénité.

Finalement, mon amour du bois l'a presque emporté si je puis dire, car je suis devenu aujourd'hui un artiste de week-ends. La semaine, je pilote des avions j'emmène des touristes à la chasse, à la pêche et c'est très bien équilibré ainsi comme vie.

En 1975, j'ai vraiment travaillé très fort et, dans mes moments de répit, je composais des chansons. Je calcule qu'au cours de ma carrière j'ai dû composer au moins 200 chansons et ce n'est pas fini. Les idées me venaient toutes seules mais, j'allais souvent à Las Vegas pour y glaner du nouveau matériel. D'ailleurs, comme du temps des Jérolas, je tenais à renouveler mon matériel, à offrir constamment du nouveau.

Je recommençais à faire des projets... pourquoi pas? Un microsillon? C'est une excellente idée! Aussitôt dit, aussitôt fait! Il y avait eu une grande tournée puis la célébration du 25ᵉ anniversaire de Ti-Gus et Ti-Mousse à la Place des Arts. Ça m'avait fait plaisir de me revoir à la Place des Arts... dans un numéro solo, cette fois.

Au cours de mes diverses pérégrinations, j'étais allé plusieurs fois à Québec. Il en était arrivé une bien bonne au moment ou un journaliste du *Soleil* avait «descendu» mon spectacle en règle. Le public m'avait fait des *standing ovations* mais ce Monsieur, que je ne nommerai pas pour éviter de lui faire du tort, avait écrit: «Jérôme Lemay a une belle voix de ténor mais sur une scène, il ne vaut rien.» Charlemagne Landry était tellement outré, car le type en avait écrit plus que cela contre moi, qu'il voulait le poursuivre. Oui, ce brave Charlemagne ne m'avait pas quitté et il m'aidait énormément.

Lors d'un autre voyage, nous avions eu l'occasion de dîner avec ce journaliste et il m'a avoué, devant témoins, une chose que je soupçonnais depuis fort longtemps... les critiques sont des frustrés dans beaucoup de cas. Voici ce que cet homme-là a eu le culot de me dire: «J'ai toujours rêvé de faire du show business, mais comme je suis gros et laid ce n'est pas possible. Aussi quand j'ai l'occasion de descendre un artiste, ça me défoule.» Il y avait peut-être le fait qu'il avait été en Tchécoslovaquie avec Jean qui y avait joué, bien que je sois absolument certain que Jean n'avait rien à voir dans cette histoire...

À ce stade-ci des événements, vous vous demandez probablement la même chose que tout le monde se demandait à l'époque. Est-ce que Jean et moi nous nous étions reparlé? Non, mais un an après cette séparation qui avait tellement fait couler d'encre, nous faisions encore les manchettes. C'est que Charlemagne Landry avait intenté des poursuites contre Jean, et ça aussi ça a été toute une histoire.

CHAPITRE 14

JE REPARS SEUL!

Charlemagne Landry n'avait pas tellement digéré la façon plutôt cavalière dont Jean avait dissous les Jérolas. Un an après, il m'avait convaincu que nous devrions intenter une poursuite pour bris de contrat avec nous. Charlemagne voulait également entamer des procédures pour récupérer la somme de 5 000 $ que Jean lui devait.

La première cause, en 1975, nous l'avions gagnée sur le «banc». Jean, pour se défendre, avait invoqué les motifs de dépression et d'alcoolisme pour contester la poursuite. Le juge Guy Mathieu avait déclaré: «Il est en preuve que le défendeur souffrait de cette maladie depuis plusieurs années et qu'il avait même accepté de s'engager dans divers contrats alors qu'il en était atteint. Comme question de fait, il est démontré que le défendeur s'était même présenté dans différents spectacles alors qu'il était en état d'ébriété et que les contrats avaient pu être exécutés quand même.»

Tout ceci avait fait beaucoup de bruit. Jean avait été en appel et ça a pris un an avant qu'un jugement ne lui donne raison. Par la suite, Charlemagne avait réussi à aller en Cour suprême et les cinq juges avaient donné raison à Charlemagne. En tout et partout, ça a duré six ans et les journalistes s'en sont donné à cœur joie.

Depuis la dissociation des Jérolas, je n'avais eu qu'une seule fois l'occasion de parler à Jean... et c'était en Cour. Nous avions causé un peu avant de passer devant le juge: Il m'avait dit:

— Tu sais, j'étais pas mal malade, mais je suis certain de gagner ma cause.

— Moi aussi, je suis certain de gagner, lui avais-je répondu. En tout cas, même si tu gagnes, je viendrai te serrer la main après. Veux-tu me promettre de faire de même?

Jean, c'est un impulsif.

— Pas question.

Puis il se met à marcher dans le corridor. Il est revenu me trouver deux minutes plus tard.

— Mes amis m'ont fait comprendre que je n'étais pas correct... si tu gagnes, je viendrai te serrer la main. Et nous avions causé pendant un bon moment. Avant de nous séparer, j'avais ajouté:

— J'espère que la prochaine fois que nous allons nous rencontrer, ce ne sera pas en Cour.

Le résultat final de tout ceci, concrètement, avait été que Jean, pour ne pas avoir rempli ses engagements à Chibougamau, à Saint-Jean-Port-Joli, à la Butte à Mathieu, à l'église de Saint-Rodolphe, dans les studios de Cable TV et pour Cockfield Brown & Cie, avait été condamné à me payer les sommes de 8 637 $ et 4 815 $ plus les intérêts, à Charlemagne Landry. En tout, ça lui avait coûté 13 000 $ et les manchettes titraient: «Ça coûte moins cher qu'un divorce.» Mais, là encore, Jean a été chanceux. Imaginez ce que ça lui aurait coûté s'il avait signé le fameux contrat de Télé-Métropole.

Puis nous sommes repartis chacun de notre côté. Le point final venait d'être véritablement mis à la longue et fructueuse aventure des Jérolas.

La vie continuait. En 1976-77, j'ai eu énormément de travail. J'avais même fait *Bye Bye 77* à Radio-Canada. En 1975, j'avais mis sur le marché un microsillon qui s'intitulait tout simplement *Jérôme Lemay, 1er volume* et, en 1977, je récidivais en en lançant un deuxième: *La deuxième partie de mon show.*

Dire que je l'avais préparé avec soin et amour, ce n'est pas le mot. Pour la toute première fois de ma vie, peut-être, après plus de vingt ans de carrière, j'allais montrer mon vrai visage au public. J'avais été bien épaulé par mes amis, il faut le dire, surtout par Jacques Ouimette qui s'occupait de relations publiques et qui m'avait fait entrer à Capitol. Malheureusement, son nom n'est même pas sur la pochette du disque... une gaffe de ma part que je tente de réparer en lui rendant hommage dans ce livre.

Sur ce microsillon on remarquait différents styles, comme il fallait s'y attendre. Une chanson qui a été fort bien accueillie du public a été; *Les gens heureux.* J'en avais écrit les paroles et la musique. Je tendais la main à Jean Lapointe, en sommes j'y rendais un sorte d'hommage. Ainsi, je disais:

Les gens heureux ont une histoire
Une histoire qu'ils ne gardent que pour eux
Les Jean Duceppe
Les Jean Béliveau
Les Jean Lapointe
Les Jean qu'on aime
et j'en passe car j'avais toute une liste de Jean que j'avais aimés... *Abitibi,* une chanson un peu autobiographique avait également été bien reçue et le reel *Ris-en donc Rigodon* avait été bien accueilli lui aussi. En tout, il y avait dix chansons et, à part *Minuit moins quart* j'avais écrit seul, ou avec d'autres, les paroles de neuf autres

chansons. Ce disque a été une sorte de consécration pour moi.

Au moment où mon microsillon sortait, ça commençait à marcher bien fort pour Jean également. Le succès du film *Les Ordres* et surtout la série sur Duplessis avaient confirmé qu'il était plus qu'un chansonnier, mais également un comédien. J'en étais bien fier pour lui et je le dis avec sincérité et franchise.

Le plus amusant, c'est qu'au moment de la sortie de mon disque Jean remportait un énorme succès avec *Chante-là ta chanson*. Allions-nous maintenant nous faire concurrence? Dans *Actualité*, Jacques Hurtubise avait écrit: «Lapointe n'a pas le registre de son ex-compère Jérôme Lemay. On peut comparer leurs disques car les deux ex-Jérolas ont retenu le même arrangeur et sensiblement la même équipe de musiciens pour la production de leurs microsillons respectifs.» Je n'écris pas cela pour me vanter (d'ailleurs, ce n'est pas moi qui l'ai dit) mais bien pour démontrer que j'étais encore là et que ma valeur commençait à être reconnue.

Je dois dire que j'ai soupiré d'aise quand j'ai vu que ce microsillon était si favorablement accueilli par les critiques. C'est que, avec ce nouveau départ que je voulais me donner, je me posais pas mal de questions. Si je suivais une démarche identique à celle de Jean, je risquais des comparaisons inévitables, mais mon style personnel, que je n'avais jamais réellement développé, plairait-il? En tout cas, je me suis livré tel que j'étais et le public a senti ma profonde sincérité. Dans l'ouverture, je partageais mes espoirs dans une chanson qui s'intitulait *Le rideau s'ouvre*. Je parlais de mon état d'esprit alors qu'au milieu de ma vie, avec quelques cheveux gris, je repartais à zéro. Et j'en disais même un peu plus dans la chanson *Plus qu'hier moins que demain:*

«Ce fut long. Il fallut beaucoup de patience, mais j'ai ma récompense car, ce soir, on est enfin ensemble. Et plus qu'hier, moins que demain, mon désir est de vous faire rire.»

À part une certaine «critique» qui descendait tout ce qui sortait de Capitol, le public et les critiques ont favorablement réagi. Ça m'a donné un coup de fouet; ma carrière redémarrait enfin et j'en étais fort heureux. Je m'habituais graduellement à travailler seul et j'ai recommencé la tournée des clubs, des motels, des hôtels et des cabarets. Les engagements ne manquaient pas.

Entretemps, j'avais également enregistré un 45-tours *Entre nous deux* et tout semblait vouloir aller bien de ce côté-là, mais on ne l'a pas accepté à CJMS et je n'ai jamais su pourquoi. J'ai tenté autant comme autant de rencontrer le directeur des programmes, pour en connaître la raison, mais ce fut peine perdue.

Puis, en 1979, ce fut l'apothéose pour moi. Mercredi le 28 mars, je me suis retrouvé tout seul, comme un grand garçon à la prestigieuse Place des Arts. Ici, je dois remercier Charlemagne Landry qui m'a tellement aidé à ce stade-là. J'avais relevé le défi, j'avais refait le chemin tout seul et j'y étais arrivé. Oui, j'étais heureux.

Ce spectacle s'intitulait *Le rideau s'ouvre* comme ma chanson, et je n'avais jamais chanté avec autant de force et d'amour. Le public avait beaucoup apprécié un poème que mon fils, Jérôme Jr., m'avait inspiré et que j'avais écrit lors de la XXIᵉ Olympiade de Montréal en 1976 pour les Grands Ballets Canadiens. Ce poème, j'ai envie de le partager avec vous aujourd'hui:

L'enfant

Jamais je n'aurai autant appris
De la terre, des gens, de la vie
Que le jour où je me suis arrêté
Devant le phénomène de la vérité

Souvent il venait me montrer
Ce qu'il avait découvert ou dessiné
Sa déception il savait bien la cacher
Lorsque l'esprit ailleurs
Je l'avais écouté

Il joue, il rit, il pleure
Il apprend la vie par cœur
Il possède une philosophie
Dont les grands auraient bien envie

Et il continue de m'impressionner
Dans sa grande simplicité
Moi qui suis un imitateur
Ne l'avoir jamais imité
Quelle erreur

À la suite de ce spectacle, une chose m'avait fait grandement plaisir: ce que Pierre Luc, alors au *Journal de Montréal,* avait écrit. Il faut préciser qu'au mois de septembre 1974, il m'avait «descendu» pas pour rire et il avait été jusqu'à écrire:

«Il se lamente... il ne cesse de se lamenter... pôvre Jérôme.» Mais il avait tout de même ajouté en terminant: «Si Jérôme Lemay a de l'étoffe et du talent... on le penserait... il réussira seul sur scène.» Avais-je réussi? Pierre Luc a été assez honnête et assez «homme» pour écrire en décembre: 1974: «Peut-être que celui d'en haut a voulu que les choses se tassent ainsi car, aujourd'hui, je me retrouve devant une heureuse surprise. Est-ce que j'avais fermé les yeux au point d'en devenir aveugle, est-ce que je m'étais bouché les oreilles au point d'en être sourd? Jérôme Lemay ne fait que d'arriver! Le soleil brillera pour lui à son tour.»

Après le spectacle à la PdA, je ne portais pas à terre. Et, ici, je dois souligner l'admirable présence de mon épouse, Lisette, qui a toujours su si bien me seconder et m'encourager. Et que dire de mes trois enfants... ils faisaient même partie de mon spectacle. Au début, j'étais contre l'idée, mais Charlemagne Landry et mon épouse étaient en faveur. Dans un numéro, je faisais le grand-père et je parlais de mes enfants comme s'ils avaient été mes petits-enfants. Michel était à la batterie, Sylvie jouait du piano et mon plus jeune, Jérôme Jr, y avait été de sa petite chanson en jouant de la guitare. Pour un enfant de onze ans, la Place des Arts c'était impressionnant, mais mon p'tit dernier n'a pas mon tempérament timide, c'est un fonceur et j'en suis bien content.

Cette soirée-là fut une révélation, le public a aimé le fantaisiste, a découvert l'interprète, et mes imitations étaient réellement au point.

Je nageais dans une euphorie totale après le spectacle, et tout allait bien sauf que Nathalie Petrowsky avait écrit dans le *Devoir* que j'avais l'air d'un Nougaro «magané». Ça ne m'avait pas dérangé, mais Charlemagne Landry était en beau maud.... On peut se demander, d'ailleurs, pourquoi les «intellectuels» semblent se faire un devoir et un malin plaisir à descendre tout ce qui est «populaire».

Ça ne m'avait pas empêché de dormir, de toute façon, mais il y en a qui ne l'avait pas pris... mais pas du tout. Claude Landré s'était même donné la peine d'écrire une lettre assez virulente au *Devoir,* lettre qui avait d'ailleurs été publiée dans plusieurs journaux de Montréal. Il avait tenu à faire une mise au point et il n'y était pas allé avec le dos de la cuiller:

«Il y avait davantage à dire qu'à médire. Lemay, que j'ai vu dans les coulisses, trouve stimulant de se voir «charrier» par la presse. Mais il doit y avoir moyen de donner son appréciation sans tomber dans l'absolutisme négatif. À bas la démagogie indigeste et, vivement, qu'on fasse autour du chef de pupitre un examen de conscience sérieux pour une plus saine gestion de la critique. Bravo Jérôme!»

Cette intervention, venant d'un de nos meilleurs imitateurs, m'avait grandement fait plaisir.

Ce fut une année excitante, exaltante et très occupée. J'avais été invité pour faire un Super-Dimanche à Télé-Métropole en compagnie de Paul Houde et nous avions ri comme des fous sur le plateau du tournage de l'émission. C'est que Jean-Guy Moreau faisait une imitation de Pierre Elliott Trudeau qui était formidable. Il était secondé par France Castel qui, elle, faisait Margaret. Il y avait une scène de «garrochage» de bananes qui était incroyable. Et vous auriez dû voir la scène quand, déguisé en joueur de hockey, je reçois des ordres de Paul Houde qui imitait Bernard Geoffrion.

C'est au cours de ce tournage que j'ai vu, pour la toute première fois, une imitation de Michel Jasmin, une bonne imitation de Michel Jasmin. Il n'est pas facile à imiter et Jean-Guy avait dû étudier avec minutie ces moindres expressions pour en arriver à une telle perfection.

Quant à moi, on m'avait demandé de faire ce qui était considéré mes trois meilleures imitations: Julio Iglésias, Columbo et Claude Dubois.

J'avais également été à *Vedettes en direct* alors que Marcel Brisson en était le réalisateur. Cette émission de prestige avait été bien appréciée du public également.

Et, à travers tout cela, je faisais des galas, des événements impotrants, j'avais été me produire au Cegep du Vieux-Montréal lors d'un congrès de professeurs. Je les avais bien fait rire en leur demandant:

— Comment ça s'appelle un amateur de belle musique?

— Un mélomane, avaient-ils répondu en chœur.

— Et comment s'appelle un amateur de poésie?

Un long silence... personne ne répondait. Alors je leur ai dit:

— Je pense que je serais mieux de ne pas venir étudier ici.

Ça rigolait. J'avais également été travailler à l'Université Laval. Je n'arrêtais pas beaucoup.

Le souvenir des Jérolas s'estompait dans ma tête, mais pas dans mon cœur. Quand on a vécu une époque comme celle-là, on ne l'oublie pas du jour au lendemain. Mais j'allais de l'avant, j'avais réussi à prouver que je pouvais arriver à quelque chose tout seul et la vie était belle.

Mais était-ce ce que je voulais dans la vie?

CHAPITRE 15

L'AVIATION ET
DE BONS SOUVENIRS

Après la Place des Arts, le travail n'a pas manqué. J'ai fait le Théâtre des Variétés en 81, puis en 82. C'était excitant pour moi, car c'était un public que j'adorais.

J'ai également été engagé pour aller faire l'ouverture du Café Saint-Jacques à Hollywood (Miami). C'est Johnny Reed qui m'avait engagé. Il nous avait donné pas mal de travail du temps des Jérolas. Un après-midi, il faisait très chaud, nous marchions quand, tout à coup, Johnny me dit: «Attends, je ne me sens pas très bien.» Il était tout pâle et avait même été obligé de s'asseoir sur le bord du trottoir, histoire de récupérer un peu. Puis, nous sommes tranquillement rentrés à l'hôtel. Deux heures plus tard, il mourait d'une crise cardiaque. Gérard Vermette était à ses côtés. Ça m'avait beaucoup affecté.

Il y avait des problèmes au Café Saint-Jacques, dans le temps. Gérard Vermette avait même été voir le patron en lui disant qu'il ne pourrait compléter son engagement parce qu'on tolérait trop d'indésirables dans la place. Ils s'étaient pas mal engueulés, mais je dois dire que le pauvre Gérard, qui travaillait si fort, avait raison. En tout cas, ce n'était pas mon problème.

À un moment donné, je me suis dit que les choses allaient tellement vite que je ne savais plus où j'en étais. Produire... écrire... monter des nouveaux shows... voyager... les tournées... on en arrive à avoir l'impression d'être une balle de ping pong lancée dans les airs et on ne sait pas où on va retomber. J'ai donc décidé de tout arrêter pour six mois, de prendre le temps de réfléchir et de faire le point.

Je pilotais les avions depuis longtemps et j'ai décidé de prendre ma licence de pilote commercial. Ça aussi, je puis vous dire que c'est un défi. Finalement, je me suis fait embaucher par Air Mont-Laurier et j'ai pris une sorte de repos du show business.

Le contact avec la nature a accompli le miracle habituel. Je marchais dans les bois, je faisais de l'exercice, je me remplissais les poumons d'air frais, bref, cette période a été très profitable et salutaire pour moi. Quant à mon épouse, elle était pas mal habituée à m'attendre à la maison et j'y allais tout de même le plus souvent possible. Et mes enfants? Je pense qu'ils ne se sont pas du tout ennuyés de moi... quand la voiture est là, on ne s'ennuie pas trop du père.

J'ai donc changé le «mal de place» comme on dit. J'étais peut-être moins tout feu, tout flamme, mais je donnais tout de même quelques spectacles par ci par là. Au contact de la nature, je me sentais redevenir poète, je redécouvrais le plaisir d'écrire. J'ai composé une chanson qui s'appelle *Le chevreuil* et une autre dans laquelle j'explique que je suis comme un oiseau qui vole de jour et qui chante la nuit.

Entretemps, nous avions vendu notre luxueuse propriété. Nous vivons maintenant dans une maison confortable, mais plus modeste. Si vous aviez vu le studio dans mon ancienne maison... rien ne manquait et les productions qui en sortaient s'appelaient Élan.

Mes six mois terminés, j'avais compris que le show business m'attirait toujours autant, mais que j'avais envie de fonctionner plus à mon rythme. Et puis... je n'avais plus rien à prouver, dans le fond. J'avais découvert que je préférais la forêt aux cabarets enfumés, mais je ne refusais pas de me produire pour autant. Seulement, ce serait moins fréquemment et c'est ce que j'ai fait. Je considère que ma vie est mieux équilibrée ainsi et j'ai plus de temps pour ma famille et pour écrire.

Évidemment, les Jérolas n'ont pas été complètement oubliés dans tout cela. J'ai reçu un jour, un appel téléphonique de Jean Bissonnette, de Radio-Canada, qui me dit: «Il y a un super spectacle en plein air. Au moins 10 000 personnes vont y assister, et c'est en l'honneur de Jean Lapointe. Que dirais-tu de lui faire une surprise? Jean-Guy Moreau sera sur la scène en train de t'imiter puis, il va se retirer insensiblement et toi tu arriverais pour continuer...» J'avais trouvé l'idée bonne. Ça serait un «flash» et le public aimerait sûrement cela.

Mais Bissonnette m'a rappelé deux jours plus tard pour me dire que ça ne pourrait pas se faire, que Jean aurait été d'accord pour que ça se fasse en studio... ce qui aurait enlevé tout le «punch» à l'affaire car la réaction du public était importante à ce moment-là. Ça n'avait donc pas marché et ça ne m'avait pas dérangé, mais Bissonnette avait dit: «Ça m'écoeure»... Lui, il était déçu et je le comprends... l'idée était réellement bonne, car il y a tout un public qui donnerait beaucoup pour revoir les Jérolas à nouveau réunis, ne serait-ce que pour une fois.

Ici, j'aimerais ouvrir une parenthèse. Il y en a deux autres que les gens aimeraient voir et dont personne ne parle jamais. Ils ont pourtant été les «pères», si j'ose employer l'expression, de pratiquement tout ce qui s'est fait dans le monde des cabarets. Je veux parler des Tune Up Boys qui étaient drôles comme ce n'est pas possible.

Pour ma part, j'ai continué à vaquer à mes occupations quand j'ai reçu un appel d'Edward Rémy qui me proposait de passer à l'émission de Michel Jasmin.

C'était en juin 1982. Ça n'a pas été long que les journaux ont titré: Réconciliation des Jérolas! Mais ça non plus ça n'a pas marché. Au début, on m'avait proposé une participation intéressante à l'émission et j'étais d'accord.

Mais, à la dernière minute, la veille de l'émission, j'ai reçu un nouvel appel d'Edward Rémy:

— Jérôme, tu ne chantes plus.

Il n'y aura qu'une très courte entrevue.

— Ça n'était pas ce qui était entendu, Edward.

— Ne t'en fais pas, tu vas être payé pareil.

— Penses-tu que j'ai besoin de traîner mes bottes pour un p'tit 200 $?

— Le ministre Ouellet sera là et nous ne pouvons te donner la place du ministre...

— J'admire le ministre, mais je pense à mon affaire à moi...

Étant donné que je n'avais pas besoin du tout de cela, j'ai décidé de ne pas y aller. Un peu plus tard, Michel Jasmin me rejoignait au téléphone:

— Jérôme, as-tu pensé que ça pourrait être bon pour toi?

J'avoue que c'était une maudite décision à prendre, mais comme Michel ne m'offrait pas, lui non plus, au moins le temps de faire une chanson, je ne voyais pas ce que ça me donnerait d'aller là pour y jouer le rôle d'un pion ou d'un petit figurant. Appelez cela de l'orgueil, appelez cela comme vous voudrez, je n'y suis pas allé.

Je sais pertinemment une chose: le public attendait avec impatience de nous voir tous les deux ensemble car il y a encore de la demande pour les Jérolas. Alors, si on sait cela à Télé-Métropole ou ailleurs, qu'on organise donc quelque chose qui se tienne debout... je suis toujours prêt à collaborer. J'ai dit à Michel:

— Je sais que tu n'as pas l'habitude de garder rancune aux artistes, mais je n'irai pas si vous me proposez seulement quelques minutes.

J'ai attendu une meilleure offre (je ne parle pas d'argent), qui n'est pas venue, et je n'y suis pas allé. D'ailleurs, il y a une mise au point que j'aimerais faire... non pour me plaindre, mais ça va me défouler. Il est arrivé trop souvent, à mon sens, que le nom de Jérôme Lemay ait été balayé sous le tapis, si je puis dire. Je sais bien qu'aujourd'hui Jean Lapointe c'est un nom, c'est une grande vedette et je ne veux rien lui enlever.

Mais à l'époque des Jérolas nous étions DEUX, j'ai fait ma part, ma large part là-dedans. Il n'y a pas tellement longtemps j'ai entendu Francine Grimaldi qui faisait une entrevue avec son père. Il parlait des vedettes qui ont été en tournées avec lui. Il a dit, et je cite: «Oui, il y avait Olivier Guimond, Paul Desmarteaux, Jean Lapointe...»

«Jean Lapointe n'a jamais travaillé pour vous en tournée, Monsieur Grimaldi; les *Jérolas* ont travaillé pour vous.» Andy Cobetto, du Casa Loma, a fait la même chose... Jean Lapointe... par ci, Jean Lapointe par là... mais au Casa Loma, c'était les *Jérolas* qui étaient en vedette. Vous me direz que ce n'est pas plus grave que cela, et vous aurez raison, mais ça me chagrine de me voir ignorer à ce point alors que je considère que j'ai donné dix-neuf ans de ma vie au duo des Jérolas. J'ai tout de même existé, non?

Remarquez qu'il y a des compensations extraordinaires et je pense que la chose qui m'a fait le plus plaisir c'est l'hommage que Pierre Bertrand m'a rendu quand il a enregistré Méo Penché. Il m'a donné un titre auquel je n'avais pas pensé et dont je suis fier.... «le doyen du rock québécois».

D'ailleurs, c'est amusant de voir toute une génération de jeunes, tellement avides d'en savoir davantage sur ce qui les a précédés. C'est un peu pour cela que j'ai écrit ce livre, pour tenter de brosser le portrait d'une époque que beaucoup ne connaissent pas. La preuve? Il m'arrive souvent, en parlant avec des jeunes, de mentionner le fait que c'est moi qui ai écrit la chanson Méo Penché. Il y a vingt ans. Ils ouvrent toujours des grands yeux ronds: «C'est toi, ce n'est pas possible... nous étions tellement certains que c'était une nouvelle chanson.»

Mais une chose ressort de cela, je suis finalement beaucoup plus dans mon élément en qualité de compositeur, et ça m'aura pris vingt ans avant de le réaliser.

Je me dois de mentionner ici que, pendant ma période de réflexion, il y a un type qui m'a beaucoup aidé et c'est Yves Lapierre. Il a su me prêter une oreille attentive. Ce gars-là est réellement extraordinaire et, en moins de temps qu'il ne faut pour le dire, il m'avait composé des musiques qui collaient parfaitement à mes textes.

Beaucoup se demandent sûrement ce qu'il me reste comme sentiments, comme souvenirs, comme sensations aujourd'hui... Il me reste la satisfaction d'avoir vécu une aventure passionnante, enrichissante et positive à tous les points de vue. Aujourd'hui, avec le recul, je me dis que j'ai été gâté. Nous avons tout de même fait l'Olympia à Paris, le Ed Sullivan Show, chose que des milliers d'artistes auraient voulu faire.

Et puis, je dois dire que je suis un amoureux... amoureux de la vie... de mes amis... et que je vois toujours le beau et le bon côté des choses, plutôt que les mauvais. L'aventure des Jérolas, je puis dire aujourd'hui que Jean et moi nous l'avons vécue honnêtement. Bien sûr qu'il y a eu des accrochages, mais ça faisait partie du métier et de la vie difficile que nous menions.

Le métier a de ces exigences... mais si nous avons tenu le coup si longtemps ensemble c'est parce qu'il y avait tout de même plus d'éléments positifs que négatifs dans nos vie. Et pour terminer, je n'hésite pas à dire que Jean Lapointe a été un des êtres des plus attachants que j'aie rencontrés dans toute ma vie. Salut partenaire!

TABLE DES MATIÈRES

Introduction.   9

Chapitre 1
   Fils de pionnier en Abitibi   11

Chapitre 2
   Mes débuts dans le show business   23

Chapitre 3
   Les débuts des Jérolas   35

Chapitre 4
   Premier voyage à Paris   65

Chapitre 5
   La rencontre avec Méo Penché   79

Chapitre 6
   Le «Ed Sullivan Show»   93

Chapitre 7
   La comédie-canadienne   105

Chapitre 8
   Deuxième et troisième voyages à Paris   129

Chapitre 9
    La Place des Arts 141
Chapitre 10
    L'Olympia avec Dalida 153
Chapitre 11
    Jean travaille seul au cinéma 165
Chapitre 12
    Le commencement de la fin. 177
Chapitre 13
    La rupture définitive 193
Chapitre 14
    Je repars seul! 203
Chapitre 15
    L'aviation et de bons souvenirs 213

Achevé d'imprimer sur les presses
des lithographes
Laflamme & Charrier inc.

Imprimé au Québec